VIVER É MELHOR SEM TER QUE SER O MELHOR

DANIEL MARTINS DE BARROS

VIVER É MELHOR SEM TER QUE SER O MELHOR

e outros princípios do Arcadismo para os dias de hoje

edição: Nana Vaz de Castro

preparo de originais: Rafaella Lemos

revisão: Hermínia Totti e Pedro Staite

produção editorial: Guilherme Bernardo

projeto gráfico e diagramação: Natali Nabekura

capa: Filipa Pinto

impressão e acabamento: Cromosete Gráfica e Editora Ltda.

CIP-BRASIL. CATALOGAÇÃO NA PUBLICAÇÃO
SINDICATO NACIONAL DOS EDITORES DE LIVROS, RJ

B276v

Barros, Daniel Martins de
Viver é melhor sem ter que ser o melhor / Daniel Martins de Barros. - 1. ed. - Rio de Janeiro : Sextante, 2023.
128 p. ; 18 cm.

ISBN 978-65-5564-742-6

1. Felicidade - Aspectos morais e éticos. 2. Ética. 3. Filosofia. 4. Conduta. I. Título.

23-85680 CDD: 171.2
CDU: 17.03

Meri Gleice Rodrigues de Souza - Bibliotecária - CRB-7/6439

GMT Editores Ltda.
Rua Voluntários da Pátria, 45 – Gr. 1.404 – Botafogo
22270-000 – Rio de Janeiro – RJ
Tel.: (21) 2538-4100 – Fax: (21) 2286-9244
E-mail: atendimento@sextante.com.br

Aliás, tudo é sempre outra coisa
– segredo da poesia.

"O último poema", Mario Quintana

Naquele tempo não conhecia minha própria natureza; mas na antessala da Poesia logo a compreendi. Tornei-me homem.

"A sombra", Hans Christian Andersen

Sumário

Introdução

Quais são os seus valores?

Não se aflija se você demorar para responder. A não ser que tenha feito recentemente o planejamento estratégico da sua vida, definindo sua visão, sua missão e seus valores, não é mesmo fácil dar essa resposta assim, de bate-pronto. Até porque, se for para fazer uma lista, há tantos valores possíveis para chamar de nossos que não gostaríamos de ter que escolher. Se você devolver a pergunta e inquirir quais são os meus valores, minha vontade é responder: "Todos!"

Respeito. Prudência. Disciplina. Coragem. Honestidade. Esforço. Gratidão. Solidariedade. Cooperação. Criatividade. Compaixão. Responsabilidade. Lealdade. Justiça. Ordem. Confiança. Bem, me veja aí um de cada, por favor.

No entanto, escolher todos é impossível, porque quando os elencamos estamos definindo os *mais* importantes para guiar a nossa vida. Não dá para todos serem os *mais*. Posso achar que, apesar de serem ambas louváveis, a prudência é mais importante do que a coragem, por exemplo. Ou que ser leal tem prioridade sobre ser justo.

A ideia deste livro me ocorreu quando percebi que nossa sociedade vinha exaltando demais a excelência, a alta performance. Excessivamente, em minha opinião. Nada contra a excelência, claro. Mas me pareceu que, ao colocar todos os holofotes nela, estamos ofuscando outras coisas importantes na vida. Compaixão. Moderação. Cooperação. Para ficar só em algumas, que podem até mesmo entrar em conflito com a excelência se ela reinar sozinha no panteão dos valores.

Com minha tendência a ser do contra, pensei que deveria escrever um livro dizendo algo como *O segredo da baixa performance – A mediocridade como chave para a felicidade*. Brincando entre amigos, lembrei-me do lema do Arcadismo que aprendera no ensino médio: *aurea mediocritas* – a mediocridade de ouro –, que ressaltava a importância da moderação, do meio-termo. Puxando a ponta do novelo dessa ideia, encontrei de enfiada os outros lemas principais dessa escola literária: *inutilia truncat* - cortar o que é supérfluo, desnecessário, atendo-se ao essencial; *fugere urbem* - a cidade não é um lugar de paz e tranquilidade, por isso é preciso fugir para um *locus amoenus* (lugar tranquilo); e o famosíssimo *carpe diem* - aproveite o dia que a vida lhe oferece, porque o amanhã é incerto.

Confesso que fiquei surpreso com a pertinência desses lemas para os nossos dias. Eles traziam lá do século XVIII valores relevantes para nós hoje em dia: comedimento, simplicidade, moderação, reflexão. Surpreendente.

Pensando melhor, não deveria ser tão surpreendente assim. O movimento artístico e cultural do Neoclassicismo, cuja expressão literária foi o Arcadismo, se propunha a resgatar os ideais greco-romanos como reação aos excessos do Barroco, que dominava as artes na época. No Brasil, poetas como Cláudio Manuel da Costa, Tomás Antônio Gonzaga, Basílio da Gama e Santa Rita Durão representam essa escola, surgida na Europa sob forte influência da poesia da Antiguidade clássica. Com isso, não deveria ser nenhuma surpresa que seus lemas nos pareçam tão pertinentes hoje em dia: nos momentos em que precisamos rever nossas escolhas, os clássicos são sempre um porto seguro a oferecer estabilidade quando as águas estão agitadas.

A permanência de princípios e valores ao longo da história se dá não por acaso, mas sim quando eles são atemporais e universais, relevantes para os seres humanos em qualquer tempo e lugar. Quando são verdadeiramente essenciais, podemos encontrá-los em diversas fontes, com formulações sempre parecidas. Estão na filosofia, na arte, nas religiões orientais e ocidentais, antigas e modernas.

Isso vem acontecendo com a redescoberta do estoicismo, escola filosófica surgida na Grécia Antiga que enfatiza a aceitação serena das circunstâncias da vida a partir da distinção do que está ou não sob nosso controle. Para os estoicos, a única coisa que realmente podemos controlar é a forma como reagimos aos eventos externos, pois neles pouco podemos interferir. É uma proposta alinhada com técnicas modernas de psicoterapia, que promovem a autorregulação emocional a partir de práticas muito semelhantes. O estoicismo parece tão atual porque toda geração acredita que vai resolver os problemas do mundo e se frustra quando percebe que não conseguirá. Daí esses ensinamentos tão antigos parecerem ter sido escritos para os nossos dias.

Como reação aos desafios de seu tempo, o Arcadismo resgatou ideais gregos da Antiguidade para repensar os valores do século XVIII. Agora, após décadas de excessos, estímulo ao consumismo e urbanização crescente, num momento em que nos vemos engolfados pela tecnologia e distantes do mundo real, pressionados ao mesmo tempo para sermos produtivos e para sermos felizes, chegou a nossa hora de repensar o que queremos para o século XXI. Sugiro que espiemos nessa mesma fonte, que foi testada e aprovada pelo tempo.

Vamos então ao encontro dos poetas e dos ideais árcades. Não para tomarmos lições *de* literatura, mas *da* literatura, cujo poder de reunir e preservar conhecimento e valores essenciais é capaz de iluminar nosso caminho em direção a uma vida melhor tanto como indivíduos quanto como sociedade.

CAPÍTULO 1

Inutilia truncat

Os lemas do Arcadismo resgatam ideais atemporais da Antiguidade clássica: valiam para os gregos antigos, valiam para a sociedade do século XVIII, valem para nós e valerão para os netos dos nossos netos. Mas não foi só por essa perenidade que tais ideias ganharam importância; elas eram também reações a determinadas características da época, funcionando como contraponto a valores que entravam em crise. Esse é o caso do *inutilia truncat*: cortar o inútil era um conselho que pretendia corrigir o que havia de excessivo na época.

Sei que pode parecer um conselho, assim, meio... inútil. Quem gosta de coisas sem utilidade, afinal? Aquilo que não nos acrescenta nada só serve para nos roubar tempo e energia – logo, ninguém quer se cercar de inutilidades. À primeira vista, portanto, trata-se de um conselho um tanto óbvio e, por isso, dispensável. Se fosse esse o caso, estaríamos diante de um paradoxo: o conselho para cortar o inútil seria inútil e deveria ser cortado.

Mas o contexto histórico nos mostra que ele era, sim, muito necessário, já que a estética predominante no período, o Barroco, era marcada pelo exagero. Os escritores barrocos tinham lutado para se libertar da austeridade do Classicismo renascentista – escola imediatamente anterior –, que impunha padrões rígidos de simetria numa busca pela perfeição. Uma vez livres, eles passaram a investir no polo oposto: no excesso, no contraste, nas irregularidades e deformações, abusando das hipérboles. Embora tenha sido um movimento esteticamente importante, seu exagero foi levado ao extremo, e isso suscitou a reação dos árcades, que passaram a defender a extirpação de tudo que fosse mero enfeite, não essencial para o entendimento das ideias.

Ao contrário do que parece, portanto, o lema *inutilia truncat* era bastante útil na época. E continua sendo em nossos dias, mesmo que você não seja artista.

Se não acredita, faça este teste comigo: sem pensar muito, qual destas duas frases parece fazer mais sentido?

Quanto mais, melhor.

Quanto menos, melhor.

Intuitivamente, se tivesse que adotar uma delas como seu lema de vida, qual escolheria?

Podemos perguntar num segundo momento: "mais" ou "menos" do quê? Amigos? Dinheiro? Comida? Doenças? Inimigos? Livros? Tempo? Seguidores nas redes sociais? Cada situação leva a uma escolha diferente – prefiro ter mais dinheiro a ter menos; quero menos doenças, e não mais. Mas sem entrar nesses detalhes, é inevitável a sensação de que, em geral, é melhor sobrar do que faltar. Se tivéssemos que escolher, via de regra diríamos que quanto mais, melhor.

Mas por quê?

Temos uma tendência inata à insatisfação. Quando não temos, queremos. Quando conseguimos, logo nos acostumamos e queremos mais. É como se houvesse uma lacuna em algum lugar da nossa alma que nunca pudesse ser preenchida.

Uma hipótese pouco poética mas bastante plausível para a origem desse buraco em nossa alma é a de que a insatisfação nos ajudou a sobreviver. Imagine um cenário em que nunca houvesse o suficiente para todo mundo – alimentos, abrigo, segurança, o que for – e sua provisão fosse sempre incerta, de forma que nunca soubéssemos quando teríamos de novo a oportunidade de comer, descansar, procriar. Nesse contexto de escassez e incerteza, quem parece ter tido mais chance de sobreviver e passar seus genes adiante? As pessoas que logo ficavam satisfeitas ou aquelas que queriam acumular o máximo possível de recursos? Se essa tendência a querer sempre mais realmente compensava nos primórdios da humanidade, podemos nos considerar descendentes de insatisfeitos – dos quais herdamos essa característica, que nos acompanha até hoje.

Numa visão menos biológica e crua da nossa natureza, a insatisfação pode ser resultado de estarmos apartados da nossa realidade última – presos em corpos materiais, vivemos sempre carentes do contato com a transcendência, o que explicaria não só o surgimento das religiões como também essa constante sensação de que nos falta algo. Para o escritor C. S. Lewis, se temos desejos que nenhuma experiência deste mundo pode satisfazer, provavelmente é porque tais anseios não são terrenos, e os prazeres a que temos acesso jamais conseguirão supri-los de fato. Só ficaremos saciados quando estivermos em outra realidade.[1]

Ao contrário do que se imagina, a descrição dura da ciência e a poética da teologia não precisam ser opostas, mas podem – e frequentemente o fazem – apontar para a mesma direção. Isso ficará claro quando voltarmos à biologia e ao C. S. Lewis mais adiante.

De qualquer forma, seja para ter mais chance de passar os genes adiante ou por saudades de nosso lar, o fato é que tendemos ao exagero. Compreendemos a indignação de Homer Simpson ao ser expulso de um restaurante cujo slogan era "coma o quanto puder" porque chegou o horário de fechar: "O aviso dizia 'tudo que puder comer'!", reclama ele enquanto é arrastado para fora. (Depois ele contrata um advogado para processar o restaurante, e ele lhe diz ser o caso mais evidente de propaganda enganosa desde que processara o filme *A história sem fim*). Sempre que entramos num bufê em que podemos comer à vontade, levanta-se um Homer Simpson dentro de nós para testar os limites desse "o quanto puder" e comemos até não aguentar mais. Frequentemente, só paramos quando precisamos encarar alguma consequência negativa.

Quando o prazer entra em cena, nosso acelerador é bem mais ativo do que nosso freio. Isso vem de longe. Animais programados para responder a determinados estímulos podem ser enganados por versões amplificadas desses gatilhos. Os cientistas chamam esse fenômeno de estímulo supranormal: o exagero daquilo a que já somos sensíveis tem um grande poder de nos fisgar. Várias aves deixam de chocar os próprios ovos para chocar ovos artificiais maiores. Outro exemplo cientificamente divertido é o dos besouros australianos que, programados para reconhecer a coloração marrom brilhante de suas fêmeas, são flagrados copulando com garrafas de cerveja – tão mais brilhantes que atraem os machos com mais intensidade.[2]

Antes de rirmos desses tolos com cérebro de passarinho, é bom lembrar que nossa espécie também é bastante sensível a esse tipo de estímulo. Por que milhares de mulheres voluntariamente se internariam todos os anos em clínicas e hospitais, se submeteriam a anestesia e deixariam que médicos cortassem e costurassem seu corpo para aumentar as próprias mamas se isso não fizesse sucesso? A atração naturalmente exercida ganha um impulso extra quando as mamas são aumentadas e arredondadas pelas próteses – e se tornam ainda mais atraentes por exagerarem uma característica que já tinha apelo.[3]

Fora de controle

Talvez seja por isso que os artistas barrocos exageraram: temos essa tendência de perder a mão quando nos empolgamos com alguma coisa. É um risco presente em todo comportamento que nos traz recompensa, e nem sempre é fácil traçar a linha entre o mero excesso e o verdadeiro descontrole. Vemos isso acontecer com o uso de álcool, com o hábito de apostar e até mesmo com a busca do prazer sexual.

Há sempre uma distribuição normal do desejo de determinado objeto: algumas poucas pessoas não se interessam por ele; a maioria fica em algum ponto na média – não são indiferentes nem apaixonadas; outras poucas gostam acima da média; e uma minoria gosta tanto que perde o controle. Essas últimas são as que se tornam viciadas. A atividade, seja apostar, beber ou fazer sexo, se torna uma obsessão que as aprisiona. Progressivamente os outros âmbitos da vida vão perdendo espaço e importância, subjugados pela obrigação de satisfazer um desejo infinito.

Numa cruel ironia, quanto mais descontrolado o desejo, menor o prazer obtido. Querer e gostar não são a mesma coisa, e mecanismos cerebrais distintos respondem por eles. O querer está ligado à tendência a repetir, e até mesmo a exagerar, e é mediado por um neurotransmissor chamado dopamina. Equivocadamente associada ao prazer, o que essa molécula na verdade faz é nos levar a querer repetir os comportamentos que produzem sua liberação. Se ao ter uma relação sexual ocorre uma descarga de dopamina, esse comportamento fica marcado no meu cérebro como importante, e eu me torno motivado a repeti-lo. Assim como vimos no caso dos nossos antepassados insatisfeitos, os indivíduos que por acaso tinham uma liberação de dopamina mais intensa quando faziam algo que ajudava a passar seus genes adiante – ou seja, os que procriavam mais – deixaram herdeiros com as mesmas características e em maior número do que os que não ligavam tanto para essas coisas.

Já a sensação de gostar é produzida por moléculas diferentes – como os endocanabinoides e os opioides endógenos (sim, moléculas que parecem drogas e são produzidas pelo próprio corpo). Elas são liberadas em regiões do cérebro diferentes daquelas que trazem a vontade irresistível de repetir um comportamento específico. Esse ímpeto compulsivo não é prazeroso, como bem sabem os dependentes de crack. Derivado da cocaína, ele leva a uma liberação artificialmente grande de dopamina sem produzir nenhum bem-estar; ainda assim, o dependente se sente obrigado a voltar a usar a droga, mesmo sem prazer.[4]

E aqui reencontramos a poética descrição teológica de C. S. Lewis: em seu livro *Cartas de um diabo a seu aprendiz*, ele conta a história do demônio mestre que dá lições a um jovem aluno sobre como atazanar melhor os seres humanos. O prazer, diz ele, é uma invenção divina. Para aumentar o sofrimento, portanto, deve-se impedir o prazer. E para isso, diz o diabo, deve-se investir nos vícios: "A fórmula, portanto, é um anseio cada vez maior por uma satisfação cada vez menor. É mais certeiro e tem mais *requinte*. Capturar a alma do homem e não dar *nada* em troca – é isso que realmente agrada o coração do Nosso Pai."[5]

Pode parecer algo distante de nós, mas eu acredito que esse descontrole patológico está mais próximo de nossas atitudes do que imaginamos.

Veja o caso dos acumuladores. Eles têm tanta dificuldade em se desfazer de seus bens que acumulam quinquilharias, entulho, lixo, tranqueiras, a ponto de tornar a circulação no ambiente difícil, quando não impossível. Além do sofrimento intenso para descartar qualquer coisa, quase todos apresentam também comportamentos de aquisição excessiva, tanto por compras exageradas como pela obtenção de itens gratuitos, como amostras grátis ou mesmo sucata alheia.

Um dos casos mais famosos foi o dos irmãos Collyer, que se tornaram lenda em meados do século XX após sua mansão em Nova York ser transformada num imenso depósito de lixo – com eles dentro. Já no século XXI, o escritor E. L. Doctorow, famoso por livros como *Ragtime* e *Billy Bathgate*, escreveu o romance *Homer & Langley*, inspirado livremente na história dos irmãos. Ao longo de mais de uma década eles acumularam 140 toneladas de sucata, até que o mais novo, Langley, morreu soterrado pelo lixo dentro da própria casa em março de 1948, levando seu irmão, Homer, que tinha ficado cego, a morrer de fome por não conseguir se virar sozinho em meio a tanto entulho.

Ao contrário do que acontece no colecionismo, o transtorno de acumulação – que hoje é considerado um transtorno mental – torna impossível que se localize qualquer coisa no meio de tanta bagunça. Ele me parece tão somente o ápice de um comportamento que não precisamos procurar muito para encontrar à nossa volta – às vezes basta olhar no espelho. Ou você acha que lutar contra a tentação de adquirir mais do que precisamos não é uma batalha que travamos continuamente? Inseridos num modelo econômico que depende do consumo e se aproveita da sensação de prazer intensa – ainda que transitória – de adquirir, ganhar ou comprar alguma coisa, estamos cercados continuamente por estímulos para aquisições diversas. E uma vez na posse de algo, o desapego é sempre difícil.

Os acumuladores – assim como os dependentes em geral – me parecem tão semelhantes a nós quanto uma caricatura é parecida com quem a inspirou. Quando vemos a charge de um político, retratado com um nariz enorme ou com orelhas desproporcionais, reconhecemos imediatamente a pessoa, pois o artista apenas ressalta no desenho uma característica que existe de fato; a distorção só mostra como aquele é um traço relevante do retratado. Os pacientes que desenvolvem vícios em comportamentos prazerosos são como nossas caricaturas: levam ao limite algo que, desconfortavelmente, reconhecemos em nós mesmos. Podemos não ter perdido todo o controle, mas quanto do que temos e adquirimos é de fato necessário? E até que ponto o desnecessário de que nos cercamos nos impede de encontrar o que realmente é essencial?

Excesso de informação

Em nenhuma das suas manifestações isso fica mais evidente do que no excesso de informação que nos cerca. Em toda a história da humanidade nunca tivemos acesso a tanto conteúdo, de forma tão barata e imediata. Junte a isso o fato de que o aprendizado é recompensador – o cérebro adora aprender, por mais que a escola por vezes seja traumatizante e nos faça esquecer isso. Somos programados para valorizar cada momento em que algo relevante capta nossa atenção, provavelmente pelos mesmos motivos que discutimos sobre comida, sexo, proteção:

aprender nos ajuda a sobreviver (até hoje, diga-se), e por isso quem gostava de aprender sobreviveu mais para passar essa característica adiante. O que pode sair dessa mistura explosiva de acesso ilimitado e sensação de prazer? O exagero, claro. A disponibilidade imediata e infinita de informações a um toque dos dedos no celular funciona como um estímulo supranormal, e sem perceber estamos o tempo todo atrás de notícias, fofocas, vídeos, postagens. Ficamos aflitos quando não conseguimos nos atualizar.

Da mesma forma que nosso sistema digestivo e nosso metabolismo não foram preparados para lidar com a atual disponibilidade de energia – o que fica evidente na cintura, na balança, na pressão alta, no diabetes –, o cérebro também não tem poder suficiente para absorver, digerir e metabolizar a enxurrada de informações que colocamos para dentro. O resultado é o cansaço que se abate sobre nós no fim do dia, de tanto exigirmos desse órgão que trabalhe acima de suas capacidades. E não só isso: assim como os acumuladores, nos vemos incapazes de separar o útil do inútil, tamanho o acúmulo que ameaça nos soterrar como aos irmãos Collyer. A arraigada sensação de que quanto mais, melhor nos prende nesse ciclo fútil em que quanto mais temos, menos aproveitamos.

Pensando assim fica um pouco mais fácil entender por que era tão importante que os árcades insistissem em cortar o que era inútil. Acrescentar mais palavras até pode embelezar uma e outra frase ou ajudar a ilustrar alguns conceitos, mas quando começamos a exagerar, elas se colocam como obstáculos no caminho da compreensão.

Poucas vezes vi ilustração melhor para esse fato do que no romance inacabado de David Foster Wallace, *O rei pálido*. Nele, Wallace cria uma história que se passa no mundo do Internal Revenue Service, a Receita Federal americana, usando a questão dos impostos e taxas para levar o leitor a refletir sobre vários aspectos da sociedade moderna, como é praxe em sua literatura. Em determinado momento, num dos muitos monólogos do livro, um dos fiscais do órgão explica aos novatos os problemas de termos informação demais:

> Você está lá no supermercado enquanto os itens que comprou vão sendo computados. Cada produto tem um preço, óbvio. (...) Na saída, o caixa registra o preço de cada compra, soma tudo (...) e chega a um total, que aí você paga. A questão: o que contém mais informação, a quantia total ou

o cálculo dos dez itens separados? Digamos que nesse exemplo você tivesse dez itens no carrinho. A resposta óbvia é que o conjunto de todos os preços individuais contém muito mais informações do que o número único que é o total. Só que quase todas essas informações são irrelevantes. Se você pagasse cada item individualmente, seria outra história. Mas você não paga assim. A informação individual do preço individual só tem valor no contexto do total; o que o caixa no fundo está fazendo é descartar informação. Você chega no caixa com um monte de informações que o caixa processa através de determinado procedimento a fim de chegar à única informação que tem valor – o total mais impostos.

E se não estivesse claro o suficiente, o instrutor conclui:

Abandonem a ideia leiga de que informação é uma coisa boa. De que quanto mais informação, melhor. A lista telefônica tem montes de informação, mas, se você está procurando um número de telefone, 99,9% daquela informação só atrapalha.[6]

Menos, e mais devagar

Considerando nossa tendência ao exagero e levando em conta que todos os mercados aprenderam a explorá-la – dos alimentos à tecnologia, do entretenimento ao mercado de capitais –, cortar o inútil requer um esforço contínuo de lutar contra essa maré que nos arrasta para o muito.

No turbilhão de calorias, dados, notícias e conteúdos em que nos lançamos, colocar em prática o *inutilia truncat* pode ser uma tarefa ardilosa, uma vez que é difícil – e por vezes impossível – diferenciar o útil do inútil. O que está sobrando? O pudim ao final da refeição é mais dispensável que o pedaço extra de bife? A notícia sobre a economia chinesa é mais ou menos relevante do que o relato sobre a violência num país vizinho? Assino um serviço de streaming ou um jornal diário? Leio ou assisto TV? O que posso cortar?

Na ânsia de dar conta de tudo, a saída tem sido acelerar o consumo – aceleramos os vídeos, lemos apenas as manchetes, devoramos a comida até nos empanturrarmos, numa velocidade e quantidade compulsivas. A compulsão, contudo, é o oposto do prazer. Equivocadamente pensamos que o consumo compulsivo vai nos satisfazer, mas na verdade ele só nos empanturra. Pode perceber: quando queremos de fato saborear uma refeição, uma relação, um texto, automaticamente vamos mais devagar, desfrutando cada instante com atenção. Esse exercício de fruição não é automático – ao contrário, se não prestamos atenção somos arrastados para o exagero e a pressa. Mas ele é uma maneira bastante interessante de cortarmos os excessos que nos impedem de chegar ao essencial.

Talvez não saibamos mais distinguir o útil do inútil e sejamos incapazes de diferenciar o excessivo do essencial, depois de tanto tempo exagerando. Pode ser que nem tenhamos mais critérios claros para fazer essas classificações. Por isso minha sugestão é encontrar a saída pela fruição: ao nos aprofundarmos e saborearmos cada uma das nossas experiências – cada momento, cada comida, cada informação –, mesmo sem perceber caminharemos em direção a uma curadoria da vida, priorizando qualidade sobre quantidade, aprendendo ao longo da jornada o que realmente é útil.

CAPÍTULO 2

Aurea mediocritas

Você concorda que todo pai e mãe quer o melhor para os filhos? Eu creio que sim, ao menos em regra. É por isso que estimulamos os filhos, esperamos que eles cheguem mais longe do que nós, almejamos que tenham ambição na vida. Apesar disso, uma das histórias mais antigas sobre lições paternas trata de um pai tentando conter a ambição do filho. É um capítulo muito interessante da mitologia grega, aquele conjunto de histórias tão profundamente humanas que parecem não envelhecer nunca – que continuam a ser relevantes milhares de anos depois de criadas e não dão a impressão de que algum dia deixarão de sê-lo. Nessa nossa conversa sobre o resgate da sabedoria clássica, contar essa história vem bem a calhar.

O pai era Dédalo, homem muito engenhoso que,

de acordo com os mitos, foi o criador da carpintaria, idealizador do mastro e da vela para os barcos, além de ser o arquiteto do labirinto em que o Minotauro vivia. Sua inventividade fazia par com sua capacidade de se meter em confusões: condenado ao desterro por matar seu sobrinho, mudou-se de Atenas para Creta. Na nova cidade, após um período nas graças do rei Minos, logo voltou a aprontar e foi condenado à prisão em outra ilha, juntamente com seu filho Ícaro. Os dois conseguiram escapar da prisão, mas não havia meios de sair da ilha. Dédalo teve então a ideia de criar asas para si e para o garoto, a fim de fugirem voando. Com a ajuda de Ícaro, juntou penas de aves, costurou as maiores e prendeu as menores com cera de abelha, pregando-as nos braços do filho.

Antes da fuga, orientou o rapaz a não voar muito baixo, perto do mar, para que a umidade não emperrasse o mecanismo, nem muito alto, perto do sol, para que o calor não derretesse a cera. Era vital manter-se numa altitude intermediária. Conseguiram fugir dessa forma, mas durante o voo o rapaz, deslumbrado, subiu cada vez mais, até o ponto em que de fato o sol derreteu a cera e suas asas se despregaram, derrubando-o. "Ícaro, Ícaro, onde estás?", clamou seu pai, pouco antes de ver um punhado de penas flutuando onde ele se afogara.[7]

Como em todo mito, existem muitas lições a serem tiradas, dependendo do que quisermos enfocar. Pode-se falar sobre a obediência aos pais, sobre os riscos de se alterar as leis da natureza ou sobre as tecnologias que se voltam contra nós – a mitologia é rica em leituras. Num capítulo sobre o lema *aurea mediocritas*, é claro que falaremos sobre o caminho do meio, sobre evitar os extremos. Dédalo temia que o filho se encantasse pelo voo e quisesse ir mais e mais alto, por isso tentou conter essa ambição, enfatizando a segurança de estar na média. Talvez seja o primeiro registro de um dos princípios basilares da cultura grega. A virtude, diria Aristóteles posteriormente, está no meio.

Na literatura latina, foi o poeta Horácio quem imortalizou tal princípio em suas Odes, especificamente na Ode X, a Licínio (o grifo é por minha conta):

> ***Auream*** *quisquis* ***mediocritatem***
> *Diligit, tutus caret obsoleti*
> *Sordibus tecti, caret invidenda*
> *Sobrius aula*

Na tradução da professora Lúcia Sá Rebello fica clara a lição:

> Todo aquele que preservar o justo meio-termo
> estará seguro, porque livre das misérias de uma sórdida morada
> e preservado, porque livre de um palácio que desperta inveja.[8]

O *aurea mediocritas* dos árcades vem daí: da defesa que Horácio faz de um meio-termo seguro e suficientemente bom. Não é a apologia da pobreza – que por si só leva a carências e deficiências prejudiciais. É mais uma proteção contra a petulância, a ganância desmedida. Horácio chega a recomendar que não se abuse da sorte, buscando comedimento mesmo na prosperidade: "Mas com prudência, recolherás as velas, se o vento favorável enfuná-las em demasia!"[9]

Mas em algum momento esse ideal de média perdeu seu apelo. É fácil constatar, em termos de valores, até que ponto a ambição tomou o lugar da moderação. Basta perguntar para qualquer pessoa o que significa ser medíocre. "Sem qualidades", responderão algumas. "Inferior", dirão outras.

"Incompetente", afirmarão também. E provavelmente ninguém se lembrará de que originalmente medíocre é mediano, o que está na média.

Tirania da vitória

Quando foi que estar na média passou a ser um defeito? É uma contradição de termos chamar o médio de inferior. A única explicação que encontro para aceitarmos esse contorcionismo mental que desafia a lógica é acreditarmos que só existe valor no topo – só tem importância o que está acima da média; nada abaixo do máximo tem serventia. A vergonha aguarda aqui embaixo aqueles que não sobem ao pódio. Levada ao limite, essa mentalidade desmerece até mesmo o segundo lugar: quem ganha a medalha de prata é apenas o primeiro dos perdedores.

Estou certo de que diferentes cientistas pensariam em diferentes explicações para essa mudança. A revolução industrial, o capitalismo tardio, a urbanização da sociedade, o egoísmo, o declínio da religião, a ascensão da religião, o rádio, o cinema, a TV – vá saber. Para mim a insatisfação inerente ao ser humano, que vimos ser a força motriz por trás da corrida sem fim em busca de ter cada vez mais (vide o capítulo *Inutilia truncat*), pode muito bem desempenhar um papel relevante aqui. Só que em lugar de almejarmos *ter* mais, somos o tempo todo estimulados a *ser* mais e mais, tentando sempre atingir o máximo possível. Não basta nos aprimorarmos e alcançarmos um bom patamar, é preciso chegar ao topo, mirar nas estrelas, atingir o potencial pleno. Como não há o que baste para preencher o buraco que carregamos na alma, vemo-nos novamente presos numa corrida atrás do horizonte.

Mas seria essa uma mudança para pior? Será que a doutrina do meio-termo estava certa mesmo? Só porque os árcades resgataram o lema *aurea mediocritas*, isso não significa que ele seja importante também hoje em dia, podemos pensar. Será que colocar a excelência como um valor superior à média não leva a sociedade a avançar? Assim não é melhor para todos?

Não sei se existe uma resposta certa e definitiva. O que quero é menos responder a essa pergunta do que lembrar, como os árcades, que existem outros valores possíveis além da medalha de ouro. Deixe-me ilustrar com a história que foi uma das sementes de boa parte dessas reflexões.

Tudo começou quando ouvi uma entrevista com Cesar Cielo, o primeiro nadador brasileiro a ganhar medalha de ouro nos Jogos Olímpicos, sobre a trajetória que o levou ao lugar mais alto do pódio. O segredo do sucesso (além de um provável dom natural, imagino) foi um grau de abnegação que eu poucas vezes tinha visto. Não era apenas a extenuante rotina de treinos – isso todo atleta de ponta faz. Cielo foi além: mudou-se de país, terminou o namoro – a universidade para onde foi tinha grandes restrições quanto aos atletas de elite namorarem – e eliminou praticamente todas as atividades que não estivessem ligadas aos treinos. Nadar, nadar, nadar e mais nada – afora estudar para manter a bolsa na universidade, claro. O seu maior lazer era dormir. O resultado foram três medalhas nas Olimpíadas de 2008 e o primeiro ouro na natação da nossa história. E uma carreira que o torna um dos maiores vencedores do país em qualquer esporte.

Mas a que preço?, eu me perguntava. Do ponto de vista esportivo não havia sombra de dúvida de que ele era um campeão inquestionável. Mas eu não tinha certeza se chamaria isso de "vencer na vida". A restrição absurda, o preço emocional pago, o estreitamento autoimposto dos horizontes humanos. Será que tudo isso não faria desses atletas de elite vencedores no esporte, mas não na vida? Foi quando pensei que o sucesso deveria ser medido não apenas pelo que conquistamos, mas também pelas coisas de que não abrimos mão para alcançar tais conquistas. De acordo com esse novo conceito de triunfo, vencedores seriam também aqueles que não precisaram sacrificar nada de importante para si, mesmo que não tenham conquistado medalhas. Nem sei se o conceito é meu ou estava guardado em algum canto da memória, mas foi ali que me dei conta de que vivíamos uma espécie de tirania da vitória.

Manter uma convicção muito grande nessa crença de que é preciso vencer a qualquer preço nos coloca no mesmo caminho do rei Pirro. Na Batalha de Heracleia contra os romanos, durante a Guerra Pírrica, 280 anos antes de Cristo, a vitória lhe custou grande parte do exército, muitos de seus amigos pessoais, militares de alta patente dificilmente substituíveis. O historiador Plutarco diz que, ao ser parabenizado pela vitória, Pirro respondeu: "Se vencermos os romanos em outra batalha como esta, nós pereceremos sem recurso".[10] Valeria a pena nos exaurirmos dessa maneira em busca de vitórias de Pirro?

O insight não era totalmente novo: havia filmes,

livros, reportagens mostrando os perigos de nos dedicarmos desmesuradamente ao trabalho para vencer na carreira, sacrificando a família, o amor, o prazer. Surgia a temida figura do *karoshi*: a morte súbita, de tanto trabalhar, que ceifava a vida de executivos jovens submetidos a grandes pressões e longas jornadas de trabalho no Japão. A mensagem, contudo, era ambígua: advertia-nos quanto aos riscos, mas não oferecia a única saída possível – abraçar a mediocridade. O subtexto era: se você não vai se esforçar até o limite das suas forças, outros o farão e você se verá lançado no purgatório da média, e isso não é admissível. Parece que identificamos o problema, mas não tivemos coragem de apontar a solução.

O símbolo maior dessa ambiguidade para mim é a imagem da maratonista Gabriela Andersen-Schiess se arrastando no final da maratona nos Jogos Olímpicos de Los Angeles, em 1984. Sofrendo de desidratação, câimbras e confusão mental, ela se recusou a aceitar ajuda médica antes de cruzar a linha de chegada, para não ser desclassificada. Ao desabar assim que completou a prova, foi ovacionada por todos, sendo até hoje um símbolo de garra. Nossa torcida e aflição diante de seu corpo retorcido que se recusa a parar mostra que o brio dos que não se detêm na busca pelo resultado nos arrepia mais do que o hálito da morte que sentimos bafejar sobre os ombros dos que não têm freios. Sua imagem nos compadecia um pouco, mas nos orgulhava muito.

Não que seja um erro em si dar valor ao sacrifício pessoal em busca da excelência. Sem as pessoas dispostas a chegar aos extremos em prol da excelência não teríamos muito da arte, da ciência e da sabedoria que os abnegados vão buscar nos limites da experiência humana. Não haveria Charlie Parker, por exemplo, saxofonista de jazz considerado um dos maiores gênios da música de todos os tempos. Ao menos de acordo com Terence Fletcher, personagem do filme *Whiplash* (que rendeu Oscar de Melhor Ator Coadjuvante para J. K. Simmons).

Segundo ele, só existiu Charlie Parker porque o veterano baterista Jo Jones jogou um prato de bateria em sua direção, humilhando-o na frente de todo mundo após uma apresentação na qual Parker perdeu o ritmo. Isso o teria motivado a ser melhor, finalmente levando-o a revolucionar o jazz. Sua missão pessoal, diz Fletcher, é "levar as pessoas além do que se espera delas. E eu acredito que isso é uma necessidade. Porque sem isso você está privando o mundo do próximo Louis Armstrong, do próximo Parker". Seu mais novo aluno, o personagem principal do filme, Andrew Neiman, questiona se não haveria o risco de o tiro sair pela culatra: "Mas você acha que existe um limite? Sabe, onde você desencoraja o próximo Charlie Parker de se tornar Charlie Parker?" Tem sentido. E se essa pressão toda fizer o sujeito desistir? Mas Fletcher não se convence, não acredita em limites: "Porque o próximo Charlie Parker nunca seria desencorajado."

Claro que só humilhar alguém não basta para transformá-lo num gênio. O ponto de Fletcher, no entanto, é que se realmente quisermos realizações extraordinárias nenhum sacrifício deveria ser considerado excessivo. Mas quando um de seus alunos comete suicídio, supostamente após desenvolver um quadro depressivo por causa dos abusos do mestre, o filme deixa claro que é preciso pensar melhor sobre o preço que está sendo cobrado.

Veja, eu amo jazz. Então quero que haja muitos Charlie Parkers. E quero ler os livros que as pessoas levaram a vida toda para escrever. Assistir aos documentários que custaram a saúde dos cineastas. Ver as acrobacias dos atletas que desistiram de uma vida pessoal para conseguir dar dez piruetas seguidas. O problema não é valorizarmos isso. O problema é *só* valorizarmos isso. É opressivo. É aprisionador. É limitador da experiência humana. Até porque, na prática, haverá poucos gênios para cada milhão de pessoas massacradas, morrendo afogadas por acreditar que só voando perto do sol serão felizes.

Não defendo que as pessoas sejam criticadas se quiserem se sacrificar pela excelência, só não quero que se sintam obrigadas. Oprimir a humanidade toda com a supervalorização da conquista só para preencher nossos museus, laboratórios ou salas de concerto não me parece uma conquista muito inteligente. Talvez essa seja até mesmo uma das causas por trás da ascensão dos casos de *burnout* no Brasil e no mundo.

Embora não seja propriamente uma doença, o *burnout* é causa de grande sofrimento emocional. De acordo com a Organização Mundial da Saúde, o *burnout* "não é classificado como uma condição de saúde. É descrito no capítulo 'Fatores que influenciam o estado de saúde ou o contato com os serviços de saúde', que inclui razões pelas quais as pessoas entram em contato com serviços de saúde, mas que não são classificados como doenças ou condições de saúde".[11]

Sempre que ouvimos falar em *burnout* pensamos automaticamente nas empresas que, visando o lucro, exploram ao máximo os trabalhadores, gerando o estresse que deflagra essa síndrome. Esquecemos, no entanto, que há fatores de risco pessoais muito importantes para tal condição: ser *workaholic* e/ou perfeccionista, ter sempre alto grau de envolvimento, querer dar conta de tudo, ser um trabalhador idealista – características associadas fortemente ao problema. O funcionário medíocre e satisfeito com sua mediocridade muito mais raramente sofrerá as consequências do estresse elevado no trabalho.

Regressão à média

Resgatar a possibilidade de estar feliz e na média é libertar-se dessa opressão. É como diz Calvin, amigo do Haroldo, para sua colega Susie, que só tira notas altas. "Nossa, eu odiaria ser você", gabando-se de ter tirado um C. "Por que raios você preferiria tirar um C a um A?", indigna-se Susie. "Minha vida é muito mais fácil à medida que eu reduzo as expectativas dos outros", filosofa o menino. A estranheza que a tranquilidade do Calvin com notas medianas nos causa só mostra quanto queremos nossos filhos no pódio. Ao mesmo tempo, não desejamos ver as crianças frustradas e fazemos de tudo para preservá-las das emoções negativas que nós mesmos associamos à derrota.

Esse paradoxo leva a um arremedo de solução: tentar convencer as crianças de que não existem perdedores. Às vezes alguns ganham, mas ninguém nunca perde, mentimos. Seria muito mais honesto dizer que, sim, há vencedores e perdedores. Mas e daí? Perder faz parte, e podemos nos divertir muito – frequentemente até mais – quando não temos que dar o sangue para vencer a qualquer custo e terminamos na média.

Até porque, mesmo que não admitamos, a vida é vivida na média; convencer as pessoas de que elas precisam se destacar em tudo o que fazem, atingir a excelência a cada passo, aplicando técnicas para alcançar a alta performance no trabalho, em casa, na igreja, na cama, é mantê-las num estado de perpétua luta contra a força da regressão à média.

Esse conceito foi formulado pela primeira vez no século XIX por Francis Galton num trabalho intitulado "Regression Towards Mediocrity in Hereditary Stature" (Regressão à mediocridade na estatura hereditária). Sua observação foi simples, mas seu insight, poderoso: ele tabulou a estatura de centenas de pessoas e concluiu que a altura acima da média dos pais não era transmitida integralmente aos descendentes. Ao contrário, filhos de pais com altura acima do habitual tendiam a ser mais baixos do que eles, caminhando de volta em direção à média. Uma vez que notamos esse princípio estatístico, passamos a enxergá-lo onde quer que olhemos. As notas de seus filhos na escola, o número de gols de seu time por partida, a quantidade de boas refeições ao longo da semana, as horas de sono por noite – tudo flutua em volta de uma média.

O psicólogo Daniel Kahneman conta uma história divertida sobre isso. Após dar uma palestra para instrutores de voo da Força Aérea Israelense, ensinando que, no processo de aprendizagem, premiar os acertos era mais eficaz do que punir os erros, foi duramente questionado por um dos instrutores mais antigos. "Em várias ocasiões elogiei os cadetes por alguma execução perfeita numa manobra acrobática. Quando eles voltam a executar essa mesma manobra, em geral se saem pior. Por outro lado, muitas vezes berrei no fone de ouvido de um cadete por causa de uma manobra malfeita, e em geral eles a executam melhor na vez seguinte. Então, por favor, não venha nos dizer que recompensa funciona e punição não, porque o que acontece é o oposto",[12] disse o militar.

Kahneman tentou explicar que isso era apenas

consequência da regressão à média: uma manobra excepcionalmente boa, merecedora de elogio, muito provavelmente seria seguida por uma inferior. A mesma coisa com as manobras péssimas, alvo de críticas – independentemente de qualquer grito, só pela probabilidade, a próxima deveria ser melhor. Mas é difícil tirar das pessoas a convicção de que "não pode elogiar que estraga" – aposto que você, como eu, já falou essa frase.

É evidente que a média em torno da qual giramos pode mudar: se um jogador de pôquer estudar muito, praticar bastante, sua proporção de vitórias vai subir. É possível melhorar, claro. Mas a força gravitacional da média estará lá, continuamente a impedi-lo de ser sempre extraordinário. Jogadores profissionais, que vivem do pôquer, sabem disso. Cientes de que não colherão apenas vitórias – e que essas são frequentemente seguidas por derrotas –, eles estão sempre fazendo contas de quanto podem perder para ainda sair no lucro. Treinam para subir sua média, não para escapar dela.

Diante da propensão irrefreável da mente ao raciocínio binário – ou isto ou aquilo, tudo ou nada, preto ou branco, alegria ou tristeza, louros ou humilhação, riqueza ou pobreza –, o apelo do lema *aurea mediocritas* é sempre necessário. Ele não faz apologia da derrota; não tece loas ao fracasso. Antes, vem para nos lembrar de que o mais ou menos é muitas vezes bom o suficiente. As pessoas que, por personalidade, querem maximizar os resultados de suas escolhas são as mais insatisfeitas e infelizes com as próprias decisões, apesar de serem as que gastam mais tempo e energia em busca de opções. Aquelas que se satisfazem quando atingem um padrão (ainda que seja um padrão elevado) e não querem sempre algo além são muito mais felizes. Podemos traçar um paralelo com a sociedade: se só valorizarmos o melhor possível, seremos celeiro de frustração e infelicidade. Mas se compreendermos que a média é muitas vezes boa o bastante - e sempre mais realista -, podemos aumentar em muito a qualidade de vida das pessoas.

Há quem tema que, abraçando a mediocridade, estaremos perdendo talentos - não haverá mais Michelangelos, Usain Bolts ou Charlie Parkers. A valorização da mediocridade seria fonte de desmotivação para eles. Não é preciso ter medo, contudo. Assim como o excesso, a falta de pressão também não desencoraja os gênios, até mesmo porque "o próximo Charlie Parker nunca seria desencorajado".

CAPÍTULO 3

Fugere urbem

Possivelmente você já ouviu a fábula *O rato do campo e da cidade*, mas vale a pena relembrarmos o enredo aqui - até por ser mais uma pérola que chegou até nós lá da Antiguidade clássica. Conta Esopo - grego escravizado a quem se atribui a criação das fábulas como gênero literário - que um rato morador da cidade foi visitar um amigo no campo. Ao constatar a simplicidade da vida campestre, o rato convidou-o para um banquete em sua casa na cidade, oferecendo "ervilhas e trigo, junto com tâmaras, queijo, mel e frutas".[13] Mas os ratos mal tiveram chance de tocar nas deliciosas comidas, pois a toda hora pessoas passavam pela casa, forçando-os a se esconderem o tempo todo em um buraco. Faminto, o rato do campo se despediu do amigo dizendo que preferia voltar para o interior, com sua comida simples, mas vivendo "sem desassossego (...) e sem sustos".[14]

A vida na cidade traz de fato essa sensação de desassossego, inquietude, sobrecarga emocional, talvez desde que as cidades foram criadas. Imagino que desde o momento em que o primeiro líder tribal disse "chega de ficar caçando e coletando por aí, vamos plantar umas sementes perto do rio e ver no que dá", nossos antepassados começaram a reclamar. Talvez os hominídeos comparassem aquela vida assentada, sedentária, com os áureos tempos do nomadismo. Não sei se há pinturas rupestres ou hieróglifos egípcios registrando essas queixas, mas a fábula de Esopo nos mostra que, pelo menos 500 anos antes de Cristo, a questão já estava na pauta.

A ideia de que a natureza – representada por campos floridos, árvores frondosas, riachos cristalinos e animais mansos – é um lugar pacífico, seguro e tranquilo já estava presente antes disso na mitologia e na poesia gregas. Muitos mitos localizam em paisagens silvestres seus episódios agradáveis, e a poesia de então as exalta de forma idealizada. Quando hoje nos referimos a uma paisagem como "bucólica", ecoamos diretamente esse ideal. Originalmente, "bucólico" se refere a pastores e bois, ambiente idealizado na poesia pastoril e título de uma importante obra do poeta romano Virgílio – *Bucólicas*. A novidade na fábula de Esopo, contudo, é enfatizar o contraste entre esse campo idealizado e a vida urbana – tema que foi resgatado no lema *fugere urbem*, do Arcadismo.

Locus amoenus

Assim como o rato do campo – e como você e eu –, os poetas árcades reconheciam as cidades como locais frenéticos, agitados, pouco propensos à reflexão, e por isso propunham que o *locus amoenus* (local tranquilo) deveria ser alcançado ao *fugere urbem* – fugir da cidade.

O poeta árcade Cláudio Manuel da Costa exemplifica o mesmo contraste em seu soneto V:

> Se sou pobre pastor, se não governo
> Reinos, nações, províncias, mundo, e gentes;
> Se em frio, calma, e chuvas inclementes
> Passo o verão, outono, estio, inverno;

Nem por isso trocara o abrigo terno
Desta choça, em que vivo, coas enchentes
Dessa grande fortuna: assaz presentes
Tenho as paixões desse tormento eterno.

Adorar as traições, amar o engano,
Ouvir dos lastimosos o gemido,
Passar aflito o dia, o mês, e o ano;

Seja embora prazer; que a meu ouvido
Soa melhor a voz do desengano,
Que da torpe lisonja o infame ruído.[15]

A simplicidade e mesmo as carências da vida campestre são melhores para o pastor do que obter prazeres na vida luxuosa, à custa de sofrimentos.

Viver na frugalidade pacífica do campo em vez de na opulência amedrontadora da cidade: é mais fácil falar do que fazer. Na prática, em vez de fugir *da* cidade, a maioria das pessoas foge *para* a cidade. Na metade do século XX, 70% da população mundial morava em regiões rurais e 30% em regiões urbanas, mas de acordo com estimativas da Organização das Nações Unidas (ONU) essa proporção terá se invertido após um século: a projeção é que no ano de 2050, 70% das pessoas no mundo todo vivam em cidades. (Atualmente a população mundial está dividida ao meio, embora as proporções variem muito conforme a localização e a renda do país).[16]

Os próprios poetas árcades, pensando bem, moravam em cidades. Exaltavam uma vida que não levavam. Talvez exatamente por esse motivo, pois à distância algumas coisas parecem bem melhores. Quando só temos contato com algo pelas palavras, pela poesia, corremos o risco de atribuir àquilo "um valor independente da coisa e diretamente ligado a sugestões de som, cor, forma, calor, densidade, que as palavras despertam em nosso espírito maleável", disse certa vez o poeta Carlos Drummond de Andrade.[17]

Ele não falava aqui da vida ideal, e sim de um sorvete de abacaxi, mas vale a analogia. Encantado por um cartaz na confeitaria da cidade que anunciava: "HOJE. Delicioso sorvete de ABACAXI. Especialidade da casa. HOJE!", ele e um amigo mais velho sentiram-se seduzidos para além da conta por aquela promessa de prazer inédito: "Como posso reconstituir agora tudo o que nós criáramos, para nosso próprio uso, em torno da palavra sorvete, representativa de uma espécie rara de refresco, que às pequenas cidades não era dado conhecer; e cruzada bruscamente com a nossa velha e querida palavra abacaxi, ambas como que envoltas, por uma astúcia do gerente da confeitaria, na seda fina e macia da palavra 'delicioso'?" No fim da história o sorvete era horroroso e foi tomado entre lágrimas de dor e decepção. O que aconteceria com os poetas árcades se eles fossem mesmo viver no campo?

Em meados do século XIX o escritor americano Henry David Thoreau resolveu pagar para ver. Mudou-se para a floresta nos arredores do lago Walden, em Massachusetts, nos Estados Unidos, construiu ele mesmo uma cabana e passou dois anos a contemplar a natureza, descrevendo plantas, animais e paisagens, vivendo do que conseguia produzir, num bucolismo para árcade nenhum botar defeito. No livro *Walden*, em que relata essa experiência, Thoreau afirma que considera a simplicidade da vida – que encontra nos bosques – muito mais tranquilizadora do que a vida complicada que levamos na civilização: "Em meio ao agitado mar da vida civilizada, tais são as nuvens, as tempestades, as areias movediças e os mil e um imprevistos a serem levados em conta, que para não se afundar, ir a pique sem chegar ao porto, um homem tem que ser um grande calculista para lograr êxito. Simplificar, simplificar. Em vez de três refeições por dia, se preciso for, comer apenas uma; em vez de cem pratos, cinco; e reduzir proporcionalmente as outras coisas."[18]

A experiência foi transformadora para Thoreau, disso não há dúvida. Ao encarnar em si mesmo o ideal sempre defendido mas raramente posto em prática de abrir mão do luxo em prol da paz, ele inspirou profundas reflexões sobre a vida que construímos na sociedade moderna. Tudo isso é verdade. Mas, passados dois anos, dois meses e dois dias, Thoreau retornou para a civilização. Sua estadia em Walden era mais uma "prova de conceito" – uma implementação resumida de uma ideia, só para ver se dava certo – do que um plano de vida. Mesmo ele, que foi além dos árcades e viveu o que cantava, fugiu de volta para a cidade.

Pagamos um preço alto pela vida urbana, mas ao que tudo indica é um preço que, segundo nossas contas, vale a pena. Pesando custo versus benefício, parece que, apesar de os custos serem grandes, os benefícios os superam, mesmo que por estreita margem, fazendo com que as cidades exerçam uma força gravitacional a que é difícil resistir. O risco é que, feita essa escolha pela vida urbana, nos esqueçamos dos problemas que criamos para nós mesmos, tomando como naturais e aceitáveis situações contra as quais deveríamos lutar. Aí, acredito, está o espírito do *fugere urbem* – evitar que nos acostumemos ao que é ruim.

Nosso cérebro é muito sensível a mudanças, ao mesmo tempo que deixa rapidamente de se importar com estímulos contínuos. Certa vez, ao fazer uma viagem de carro com minha família, passamos por um longo percurso em que a estrada alternava trechos com e sem asfalto. A cada vez que o solo mudava, o cérebro da família toda soava um alerta. Era tão agradável sair da terra para o asfalto quanto era desagradável o contrário. Até que minha filha mais nova notou, durante uma extensão maior de estrada de terra, que a trepidação e o barulho deixavam de ser tão desagradáveis quando se tornavam ininterruptos. De fato, o que mais incomodava eram as mudanças frequentes; a continuidade do estímulo – mesmo não sendo o mais prazeroso – levava o cérebro a ignorá-lo em parte.

O mesmo ocorre quando bate uma brisa fresca no meio de um dia quente: sentimos muito mais frio aí, pelo contraste, do que quando o vento gelado sopra no inverno; ou se dormimos com a televisão ligada e acordamos quando alguém a desliga – o silêncio que se instala deveria aprofundar o sono, mas o contraste com o barulho anterior nos desperta.

Preste atenção nos sons ao seu redor. Você nem estava consciente dos ruídos à volta, fale a verdade. Seja o canto dos pássaros ou o barulho do mar – se tem esse privilégio ou está de férias –, seja o ruído dos carros ou o som de pessoas falando, seu cérebro mantém tudo como um pano de fundo, fora da sua atenção, até você mudar o foco. Embora não nos demos conta, as ruas movimentadas da cidade nos expõem a sons de cerca de 60 decibéis, o que cronicamente ativa o sistema nervoso simpático – aquele movido a adrenalina, que nos prepara para a luta ou fuga –, gerando sintomas como alteração de sono, hipertensão arterial, irritabilidade e aumento dos níveis de estresse. E quando se acumulam, esses sintomas levam a distúrbios associados ao ruído, chamados *annoyance* na literatura médica, duplicando o risco de desenvolvermos um transtorno mental.[19]

Essa pode ser uma das razões por que, ao comparar imagens do cérebro de pessoas que fizeram uma hora de caminhada na rua com pessoas que caminharam num bosque, neurocientistas identificaram uma clara redução na atividade da amígdala cerebral naquelas que saíram do ambiente urbano – e essa região do cérebro está intimamente ligada à detecção de ameaças, ao medo e à ansiedade.[20]

Banhos de floresta

Uma forma de tentarmos fugir da cidade é trazendo um pouco do campo para dentro de nossas ilhas de concreto. Praças, bosques e lagos urbanos são locais em que podemos ter contato com a natureza sem precisarmos nos mudar para uma cabana na beira de um lago. No entanto, não basta que tais espaços existam, é preciso ir até eles: a mera presença das áreas verdes ou azuis (aquelas com água, como lagos) num raio de até um quilômetro da casa das pessoas não parece fazer muita diferença; mas aqueles moradores com costume de frequentá-las regularmente, várias vezes por semana, têm um risco por volta de 30% a 40% menor de tomar remédios para pressão alta ou antidepressivos, mostrando como os níveis de adrenalina realmente diminuem com a exposição a esses locais.[21]

Desde os anos 1980 o Japão recomenda aos cidadãos que tomem regularmente "banhos de floresta", ou *shinrin-yoku*, estimulando passeios nos bosques para promoção da saúde. Estudos científicos têm demonstrado sua eficácia: seja medindo o estresse, a tensão, a frequência cardíaca ou a ativação do sistema nervoso simpático, várias pesquisas comprovam benefícios da prática.[22] E antes que você diga que não tem tempo – ou uma floresta – disponível, saiba que mesmo pausas curtas, de vinte minutos, num banco de praça ou na sombra de um quintal, já são suficientes para reduzir em 20% a produção do cortisol (hormônio associado ao estresse), desde que você se conecte de fato com aquele momento, aprecie a natureza, ouça os pássaros.[23]

Estes, por sinal, foram grandes amigos que descobri ao longo da pandemia de covid-19. Morando parcialmente no interior durante um período, comecei a prestar atenção em aves nas quais nunca havia reparado. Aos poucos minha curiosidade foi sendo instigada, me interessei em saber o nome de cada uma e comecei a tentar identificá-las por seus cantos. O resto é fácil de imaginar: fui picado pelo hobby de observar aves. Comprei lente potente para máquina fotográfica, livros de identificação de espécies, entrei em grupos de discussão de *birdwatching*. Tempos depois, soube que um psiquiatra polonês entrevistou colegas de profissão durante a pandemia e descobriu que vários haviam encontrado na observação de aves um alívio para o estresse daquele período – para além da conexão com a natureza, a prática permitia uma desconexão do dia a dia tenso, transportando-os para um lugar seguro e tranquilo.

Graças à sua grande capacidade de adaptação e versatilidade, os pássaros felizmente estão presentes mesmo nas regiões mais urbanizadas do planeta. Depois que passei a reparar neles, avistei espécies ao meu redor, no condomínio onde moro, nos lugares em que trabalho – sabiás-do-campo, sanhaços-cinzentos, periquitos-verdes, até pica-paus-do-campo e carcarás encontrei em meio a prédios e carros. E seu canto pode ser tão relaxante que mesmo o som gravado das aves ajuda: pessoas com sintomas depressivos expostas à gravação de cantos de pássaros tiveram uma redução dos sintomas, ao contrário daquelas expostas a sons de uma avenida – para essas, os sintomas aumentaram.[24]

Dentro da cidade, fugindo dela

O *fugere urbem* possível na prática, na maioria das vezes, deve se assemelhar muito a isto: encontrarmos a natureza onde for possível e nos conectarmos com ela. Mesmo vivendo nas cidades. Duas experiências famosas – e bem impressionantes – comprovam que essas ilhas de verde em meio ao concreto trazem benefícios.

Em 1984 – coincidência ou não, na mesma época em que o *shinrin-yoku* passava a ser estimulado no Japão –, um professor de arquitetura relacionada à saúde chamado Roger Ulrich publicou um estudo sobre a evolução pós-operatória de pacientes submetidos à retirada da vesícula biliar. A ala dedicada à recuperação desses pacientes tinha quartos com vistas diferentes: em alguns as janelas voltavam-se para o exterior, permitindo a visão de árvores caducifólias (aquelas que perdem as folhas no outono), enquanto em outros a vista era a parede oposta do prédio, de tijolos marrons.

Os pacientes recebiam cuidados das mesmas equipes, eram submetidos ao mesmo tipo de procedimento cirúrgico e aos mesmos cuidados pós-operatórios, mas eram aleatoriamente distribuídos em quartos cuja única diferença era a vista. Comparando os prontuários dos pacientes operados entre a primavera e o verão – época em que as árvores estavam frondosas –, Ulrich descobriu que a possibilidade de ver as árvores estava associada a menor tempo de hospitalização, menos uso de analgésicos potentes e menos comentários negativos por parte da enfermagem.[25] Dentro da cidade, fugindo dela.

O segundo estudo, publicado no início dos anos 2000, foi feito num bairro periférico de Chicago, onde um empreendimento de habitação popular da década de 1940 reunia quase 6 mil pessoas em mais de 1.600 unidades concentradas em diversos quarteirões (o conjunto todo foi demolido nos anos 2010). Com 93% dos moradores desempregados, aquele grupo pertencia às camadas mais pobres da população dos Estados Unidos. Como é típico das cidades, a urbanização desorganizada tornou o espaço irregular em termos de arborização: havia pontos de rica vegetação, áreas com poucos espaços verdes remanescentes e locais de puro concreto.

Os moradores não escolhiam em qual região do conjunto iriam morar – haviam sido alocados aleatoriamente. Não era o perfil da população, portanto, que explicava por que as áreas sem vegetação eram as mais violentas: o levantamento das ocorrências policiais mostrava que a taxa de criminalidade era 42% menor onde ainda havia algum verde e 56% menor nas regiões ricamente arborizadas. A hipótese dos cientistas para essa diferença gritante era que, além de espaços verdes atraírem pessoas para o convívio social, aumentando a vigilância informal, o impacto psicológico positivo da presença da natureza reduzia fatores como o estresse e a irritabilidade dos moradores, sabidamente associados à impulsividade e à violência.[26]

No coração da cidade, algumas pessoas estavam fugindo da cidade.

Não se acostume com o que é ruim

Meu avô dizia que o ser humano se acostuma com tudo, menos com a dentadura. Ele era um piadista, mas talvez aqui tivesse razão. Nunca usei dentadura, mas imagino que se ela não ficar muito bem presa e encaixada, os movimentos constantes da boca – durante a fala, a mastigação e a deglutição – fazem dela um estímulo intermitente, impedindo que a pessoa se acostume. Mas nos acostumamos com todo o resto, mesmo com o que é negativo.

A vida nas cidades traz grandes vantagens – como maior acesso a serviços e bens de consumo, mais oportunidades de trabalho e maior diversidade de ideias, por exemplo. Mas, como vimos, isso tem um preço. Não há nada de errado em fazer as contas e decidir que é um custo que vale a pena. O problema é nos esquecermos do preço que pagamos ao nos afastarmos da tranquilidade, do sossego e da natureza e acharmos que o barulho, a correria e o estresse são normais. Não são, e não devemos nos acostumar com eles só porque deixamos de notá-los.

Ao cantar a vida no campo, os poetas nos lembram do tanto que abrimos mão em troca das benesses da cidade. Veja os versos de Tomás Antônio Gonzaga na lira XXIII do poema *Marília de Dirceu*:

Num sítio ameno
Cheio de rosas,
De brancos lírios,
Murtas viçosas;

Dos seus amores

Na companhia
Dirceu passava
Alegre o dia.[27]

Gonzaga não está querendo causar inveja a nós, que passamos o dia em meio a roncos de motores, postes e bueiros, raramente num *locus amoenus*. Está, antes, ressaltando o bem que o silêncio, a natureza e a desaceleração fazem por nós, e assim nos incentivando a *fugere urbem* junto com ele, mesmo que apenas por alguns minutos.

CAPÍTULO 4

Carpe diem

Carpe diem com certeza é o lema mais conhecido dos poetas árcades. Eu nunca vi uma camiseta com a estampa *inutilia truncat*, um perfume chamado *fugere urbem* ou um pôster ostentando os dizeres *aurea mediocritas*. Mas *carpe diem* pode ser encontrado em todos esses itens, além de almofadas, garrafas de água, estojos escolares e até panos de prato.

Uma pesquisa feita em todos os livros cadastrados na base de dados do Google mostra que a ocorrência dessa expressão começa a aparecer em meados do século XVIII e continua mais ou menos estável até o fim dos anos 1980, quando explode numa vertiginosa ascensão até os dias de hoje (Fig. 1). Não é coincidência o filme *Sociedade dos Poetas Mortos* ter sido lançado em 1989 – ele teve a quinta maior bilheteria do ano e concorreu aos Oscars de Melhor Filme, Diretor, Ator e Roteiro Original, faturando este último. Robin Williams, então despontando para o estrelato mundial, interpreta um professor heterodoxo que logo no primeiro dia de aula – e nos primeiros minutos do filme – apresenta a seus alunos um poema do poeta Robert Herrick:

Gather ye rosebuds while ye may,
Old time is still a-flying;
And this same flower that smiles today
Tomorrow will be dying.[28]

Arriscando uma tradução aqui, ficaria algo como:

Colha as rosas enquanto conseguir,
O tempo está correndo;
E a rosa que hoje está a sorrir
Amanhã estará morrendo.

"O termo latino para esse sentimento é *carpe diem*", ensina o professor. "Aproveite o dia." Segundo ele, a intenção do poeta era dizer que, por estarmos morrendo, não deveríamos deixar nada para amanhã.

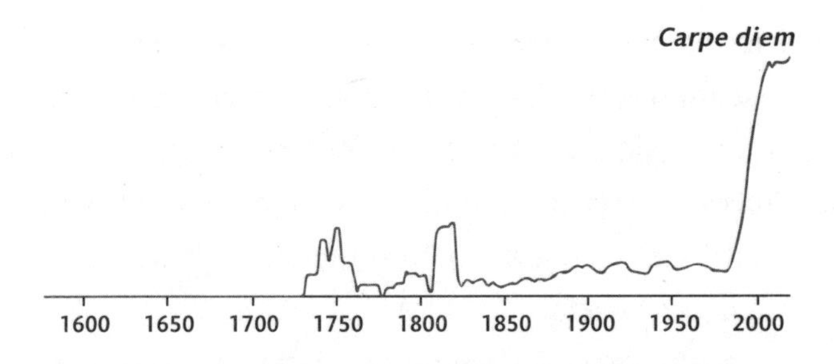

Figura 1 – Ocorrências da expressão carpe diem *em todos os livros cadastrados no Google*

Sabendo disso ou não, Robin Williams e o vencedor roteirista Tom Schulman inseriram a expressão latina na cultura pop e ao mesmo tempo cravaram na mente das pessoas aquela que seria sua interpretação ao longo das décadas seguintes. Aproveite o momento, viva o agora, importe-se pouco com as consequências, já que amanhã você poderá nem estar aqui.

A rigor, o filme deixa claro que não é bem assim: um dos alunos quase é expulso da escola por agir de forma inconsequente e leva uma reprimenda do professor. "Brincadeira idiota essa que o senhor aprontou", diz ele. Indignado com a bronca, o aluno questiona: "O que houve com o *carpe diem*? Com sugar a vida até a medula e essa história toda?" "Sugar a medula da vida não significa engasgar com o osso", responde o mestre. "Claro que há um tempo para ousadia e outro para cautela, e um homem sábio entende o que é necessário", completa.

A interpretação hedonista é bastante conveniente para quem quer agir de forma irresponsável – daí seu apelo e sucesso –, mas não é só o filme que mostra ser essa uma leitura limitada. A vida em si nos lembra disso o tempo todo, como bem percebeu a poeta Dorothy Parker em seu poema com o significativo título de "A falha do paganismo":

> Beba e dance e ria até anoitecer,
> Amor, e toda a madrugada atravesse.
> Porque amanhã bem podemos morrer!
> (Mas, ai, isso nunca acontece.)[29]

Não acho que seja esse o espírito original por trás do lema, cuja origem é a Ode XI de Horácio, nosso já conhecido poeta romano. Considerando o espírito greco-romano que o cerca, é mais coerente imaginar que ele carregue também o apelo à moderação e ao equilíbrio. Assim, aproveitar o dia não significaria desprezar o futuro, mas encará-lo como incerto, apenas uma possibilidade: lembre-se que o amanhã não é garantido, sugere o poeta. Nos versos finais do poema, Horácio diz: "*dum loquimur, fugerit invida aetas: carpe diem quam minimum credula postero*".

Várias traduções são propostas para este trecho, dentre elas:

"Em quanto assim discorro, a Idade foge: Aproveita o presente, e não confies Crédula no Futuro."[30]

"Foge o tempo invejoso enquanto falo: – Colhe o dia e não contes que haja outro."[31]

"Enquanto falamos, foge invejoso o tempo: aproveita o dia, minimamente crédula no amanhã."[32]

Como acontece com todo poema, as interpretações são múltiplas, mas acho forçado querer encaixar aí a ideia de viver como se hoje fosse o último dia da nossa vida. "Não contes que haja outro" lembra muito mais outra expressão que também remonta à Antiguidade clássica: *memento mori* – lembre-se de que você é mortal, lembre-se de que você morrerá. Sim, eu sei... à primeira vista não parece algo muito inspirador, mas fato é que pensar em nossa mortalidade pode nos levar a aproveitar melhor nossos dias. A realmente *carpe diem*.

Pensando na morte

Todo mundo conhece a história de alguém que foi transformado por uma experiência em que teve a própria vida ameaçada por doença, acidente ou pelo acaso. Ao serem confrontadas com a certeza que nos recusamos a encarar, essas pessoas reviram seus valores, mudaram suas atitudes, reinventaram a própria vida. Por que precisamos desses chamados para acordar?

Eu fiz essa pergunta à Dra. Ana Claudia Quintana Arantes, autora de *A morte é um dia que vale a pena viver*, entre outros títulos de sucesso. Ela é uma das principais vozes na divulgação dos cuidados paliativos no Brasil, nos lembrando em seus belíssimos livros que o assustador na morte não é ir embora, mas o desespero ao sentir – lá no fim – que não aproveitamos a vida. Eu perguntei a ela num evento: "Será que não consigo aprender com a experiência do outro, com os relatos em seus livros, por exemplo? Por que precisamos tomar um susto para nos transformarmos assim?"

"Porque as pessoas estão muito anestesiadas para a vida", respondeu ela. "Precisa você ter um infarto e quase morrer para perceber que a vida tem valor? Você tem uma limitação cognitiva, sensorial e afetiva tão grande que precisa tomar esse chamado tão radical?"

"Ok. Não precisa tomar um susto", concordei, compreendendo. "Basta tomar uma bronca, como eu agora, na frente de todo mundo."

A literatura científica é rica em exemplos de como pensar na morte faz mesmo diferença. Estudos feitos com voluntários em universidades ou andando pelas ruas mostraram diversos efeitos interessantes: as pessoas levadas a refletir sobre a finitude tendem a ajudar mais as outras, rever os próprios valores e assumir atitudes mais saudáveis.[33] Geralmente as mudanças experimentadas pelas pessoas que veem a morte de perto incluem uma revisão de objetivos de vida, que deixam de ser extrínsecos – como sucesso financeiro ou profissional – para se tornar intrínsecos – como cultivar relacionamentos e buscar o desenvolvimento pessoal. Quem já tem um foco intrínseco, por sinal, tende a lidar com a morte de forma mais serena, sofrendo muito menos ansiedade relacionada ao tema.[34]

Como o sentido da vida está muito mais nos relacionamentos significativos, na construção de vínculos afetivos e no crescimento pessoal do que no acúmulo de bens materiais ou de dinheiro – uma afirmação da qual pouca gente discordaria –, a consciência de que nossa história terá um ponto final ajuda a manter o foco no que tem sentido de fato. Uma vida sem fim seria provavelmente bastante desmotivadora – imagine o quanto seria possível procrastinar sabendo que sempre existe amanhã. Numa vida infinita, deixar para amanhã não seria diferente de deixar para lá.

Há muitas boas ilustrações dessa possibilidade na ficção. Uma das minhas preferidas é a do seriado *The Good Place*, a série mais *geek* que eu conheço, mesmo não tendo robôs ou dragões. Trata-se de uma comédia sobre ética e filosofia moral – quão nerd é isso? No final da série – calma, não é um spoiler significativo – os protagonistas conhecem um lugar no pós-vida onde encontram filósofos, pensadores, artistas, mas todos estão entediados e desmotivados. A eternidade lhes parece enfadonha, um peso até, minando a energia que em vida os estimulou a tantas grandes realizações. Como na ilha de Luggnagg, umas das muitas visitadas por Gulliver em suas viagens, a vida sem fim pode ser mais uma maldição do que uma bênção. Nesse trecho do livro de Jonathan Swift, o capitão conhece os Struldbrughs, habitantes que não morrem jamais – só que, acrescentando uma camada extra de sofrimento, eles envelhecem como qualquer pessoa: perdem os dentes, a memória e os direitos civis, sem nunca encontrar descanso. Seu exemplo basta para que qualquer pessoa deixe de temer a morte.

Parece que o sentido da vida está ligado ao fato de ela ser finita – e, visto dessa forma, o lema *carpe diem* não é um incentivo a perder as estribeiras, mas sim um estímulo a não postergarmos o que a vida nos oferece. Sabe quando você está viajando ou passeando por um lugar novo e vê algo que gostaria de comprar? É muito comum dizermos para nós mesmos "na volta a gente passa aqui e pega" ou "antes de ir embora, até o final da viagem, eu compro". E o que acontece na maioria das vezes? Não passamos mais por ali, não nos deparamos mais com aquilo e perdemos a oportunidade.

A economia da atenção

A própria escolha do verbo *carpe*, feita por Horácio, não é coincidência. *Carpe* é uma declinação do verbo *carpo*,[35] que literalmente significa colher ou arrancar (se você já teve que arrancar o mato de um terreno com uma enxada entende bem a origem do verbo *carpir*). Por derivação de sentido, na linguagem comum, o verbo também passou a se referir a recolher, aproveitar, tirar proveito – e assim foi empregado pelo poeta, como vemos nas traduções.

O lema é um lembrete, porque o ato de colher, recolher, aproveitar depende de uma decisão consciente, deliberada, atenta, coisa que muitas vezes não fazemos por andarmos distraídos vida afora. E se esse alerta do poeta já era importante na Antiguidade e no século XVIII, agora talvez seja mais importante do que nunca, numa era em que parar para prestar atenção parece tão difícil.

Não tanto pela velocidade do mundo. Todas as épocas trouxeram avanços tecnológicos que fizeram as coisas irem mais rápido e deram a sensação de que tudo estava se acelerando. Claro que atualmente as tecnologias são adotadas por mais gente em menos tempo, mas em grande medida as mudanças de séculos passados foram muito mais revolucionárias do que as atuais. O médico e cientista sueco Hans Rosling fala, por exemplo, da gigantesca transformação que foi a chegada da máquina de lavar roupas na metade do século XX:

de repente sua mãe tinha um tempo de sobra, que nunca antes existira, e passou a levá-lo para a biblioteca. Era como se tempo estivesse sendo fabricado.[36] A massificação do transporte motorizado, a popularização das viagens de longa distância, a disseminação dos eletrodomésticos, a invenção do telégrafo – essas coisas tornaram o mundo muito mais rápido do que quando substituímos o telegrama pelo fax, o fax pelo e-mail e o e-mail pelas mensagens nos celulares.

Se ainda assim os dias de hoje nos parecem mais frenéticos é porque, em primeiro lugar, vivemos neles. À distância as coisas não têm o mesmo impacto: nosso carro a 100 quilômetros por hora nos dá uma sensação de mais velocidade do que observar um foguete decolando a 400 quilômetros por hora. Da mesma forma, imaginar o que foi trocar cavalos e carruagens por ônibus e metrôs não nos impacta da mesma forma do que sentir na pele a mudança de 3G para 5G nos celulares.

Mas existe ainda outra diferença, talvez mais profunda, entre o agora e então: as tecnologias sempre serviram para facilitar as tarefas – da roda à calculadora, do arado ao GPS, cada inovação diminuía nosso trabalho e nos dava mais tempo.

Agora é o contrário: vídeos, mensagens, conteúdos, postagens, jogos retiram-nos tempo, numa inversão do que acontecia antes, disputando nossa atenção.

Como no caso dos estímulos supranormais, que vimos no Capítulo 1, essas tecnologias exploram a sensibilidade do nosso cérebro a recompensas com algoritmos que, conforme nos conhecem cada vez mais, conseguem apresentar exatamente aquilo que mais entretém e capta nosso interesse, prendendo-nos num *looping* temporal que nos desconecta do mundo. A nossa atenção é um dos produtos mais valiosos na economia moderna, e por isso torna-se alvo de disputa ferrenha. E, distraídos assim, podemos perder muitas oportunidades.

Mas se nem árcades nem gregos tinham smartphones ou internet, por que esse lema – urgente hoje em dia – já era importante lá atrás? Ocorre que a distração não é causada pela tecnologia atual – essa briga pela nossa atenção só multiplica o problema. Multiplica por três, pode-se dizer.

Foi o que descobriu um estudo inspirado no curta-metragem *The Money Tree*[37] ("A árvore de dinheiro"), da escritora e cineasta norte-americana Amy Krouse Rosenthal. Ela sempre foi uma artista sedenta pela vida. Mesmo antes de receber o diagnóstico de câncer de ovário, que a levaria aos 51 anos, ela atinava para a importância de aproveitar cada dia. Aos 40 anos já estava fazendo contas sobre quantos dias ainda teria para viver se chegasse aos 80:

> Pensando nisso, quantas vezes mais, realmente, posso olhar para uma árvore? 12.395? Tem que haver um número exato. Vamos apenas dizer que seja 12.395. Em termos absolutos, isso é muito, mas não é infinito, e qualquer coisa menos que infinito parece um número muito mísero e pouco satisfatório. Além disso, gostaria de olhar para os meus filhos mais alguns milhões de vezes. Eu poderia encará-los facilmente mais alguns milhões de vezes.[38]

Era com tal anseio por vida que Rosenthal criava. O filme *The Money Tree* foi um desses projetos que nos lembram como estamos desatentos para a vida e quanto perdemos por isso. Em 2010 ela e uns amigos penduraram cem notas de um dólar numa árvore de uma calçada em Chicago e colaram nelas bilhetes com frases como: "Não pergunte. Apenas desfrute"; "À vida!"; "Algumas coisas simplesmente não podem ser explicadas". Depois disso se afastaram e deixaram a câmera rodando. É muito interessante assistir ao filme – disponível na internet – e ver as pessoas passarem pela árvore sem notar nada de diferente. Essa foi uma das reações mais comuns que Rosenthal não imaginava. A segunda foi descobrir que as pessoas podiam olhar para a árvore sem enxergar o que estavam vendo. E de fato muita gente passou por ali, desviou dos galhos, olhou para as folhas, mas, desatenta, não enxergou o dinheiro.

Como disse, o filme inspirou um time de psicólogos a estudar o fenômeno cientificamente.[39] Numa rua estreita eles penduraram três notas de um dólar num galho de árvore que invadia a calçada, aproximadamente na altura da cabeça de um adulto médio. Ou seja, as pessoas precisavam desviar a cabeça ao passar por ali. Após registrar a passagem de 396 indivíduos ao longo de duas semanas, os pesquisadores calcularam quantos deles, usando ou não o telefone celular, notavam o dinheiro. Dos que, como os poetas antigos, estavam caminhando sem usar o telefone, apenas 19,2% se deram conta das notas penduradas. Veja como, mesmo sem a tecnologia disputando nossa atenção, nós podemos ser desligados de nosso entorno (daí a importância de, desde sempre, sermos lembrados de aproveitar o que o dia nos oferece). Agora, no grupo de quem estava mandando mensagem ou conversando ao telefone, apenas 6,3% viram o dinheiro. Três vezes menos gente. Por isso disse que a tecnologia triplica nossa desatenção. Fica claro também como repetir *carpe diem* é mais importante do que nunca, já que quando nos dividimos entre o mundo e as telas, praticamente 94% de nós deixamos de ver dinheiro nascendo em árvores.

Desatentos, de fato não é possível aproveitar o que a vida nos oferece. Não é todo dia que poderíamos colher dólares, é verdade, mas quantas outras oportunidades será que estamos deixando passar simplesmente por não olharmos à nossa volta, por não nos conectarmos com o presente?

O psicólogo e escritor britânico Richard Wiseman fez um teste divertido muitos anos atrás: ele entregava um jornal a voluntários e pedia que contassem quantas fotos havia naquela edição. Em média as pessoas levavam dois minutos. Focadas apenas nas imagens, contudo, deixavam passar um anúncio logo na página 2 – grande o suficiente para ocupar metade da página – que dizia em letras garrafais: "Pare de contar – existem 43 fotos neste jornal". Pior ainda: no meio da edição havia outro anúncio dizendo "pare de contar, mencione ao pesquisador ter visto esse anúncio e ganhe 100 libras" – e esse também foi ignorado pelas pessoas. "Todo mundo que participou do experimento deixou de notar oportunidades importantes e óbvias porque não estava procurando por elas", afirma Wiseman.[40]

Para prestar atenção não basta se livrar das distrações. É preciso desacelerar. Tente ler uma placa de trânsito num carro de corrida para ver como é difícil compreender alguma coisa em alta velocidade. Vá conhecer um museu e passe correndo pelas galerias de arte – o que seria possível apreciar dessa maneira? Ninguém resume tão bem essa experiência como Woody Allen quando diz "Eu fiz um curso de leitura dinâmica e li *Guerra e paz* em vinte minutos. Era sobre a Rússia." É preciso reduzir a velocidade, tirar o cérebro do modo automático e gastar a energia necessária para despertar, se quisermos de fato aproveitar o dia.

Esse talvez seja o maior desafio para o *carpe diem*. É verdade que evitamos pensar na morte, vivendo como se fôssemos eternos, e também é verdade que estamos cercados de estímulos disputando nossa atenção. Mas o maior obstáculo no caminho de desfrutarmos os momentos está na programação de nosso cérebro, que o leva a entrar em modo automático. Você já passou por isso muitas vezes: só se dá conta do caminho de casa para o trabalho quando abre o portão; chega no fim de uma página do livro e nem lembra direito o que acabou de ler; vai se deitar no fim do dia se perguntando o que fez nas últimas dezesseis horas. Quanto mais repetitiva e rotineira a atividade, maior a chance de criarmos módulos automatizados para realizá-las, entrando em modo de descanso durante sua realização. Como as pessoas que desviam a cabeça da árvore sem notá-la, o cérebro empacota rotinas de ação que passa a realizar sem necessidade de que estejamos conscientes daquilo. Trata-se de uma enorme economia de energia, porque notar os estímulos, separar o relevante do inútil, pesar fatores e tomar decisões demanda uma atividade intensa do cérebro – o que significa um grande gasto energético. É trabalhoso e cansativo. Por isso ligar o piloto automático é tão confortável, mas ao mesmo tempo tão prejudicial se quisermos aproveitar a vida.

Pense bem: você já se acostumou tanto com o caminho que faz do trabalho até sua casa que nem presta atenção nos detalhes – quando vê, está no seu destino, na porta de casa. Agora lembre-se de tudo o que você sente que sabe de cor: não só os caminhos frequentemente percorridos, mas também as conversas cujas falas já consegue antecipar, de tão conhecidas; as festas cujos roteiros se repetem todo ano; as interações com chefes, colegas e funcionários, normalmente tão previsíveis. Vamos assim automatizando a vida e acabamos desatentos para ela. Quando vemos, estamos às portas do nosso destino – final e definitivo nesse caso – e nem nos demos conta das coisas que aconteceram no caminho. Daí o susto que levamos quando nos deparamos com a morte. Como disse a Dra. Ana Claudia, é por estarmos anestesiados para a vida. Ela passa e não vemos.

O lema *carpe diem* é, então, muito mais do que um chamado ao prazer. É o antídoto de que precisamos contra essa tendência de nos desligarmos da vida que acaba nos levando a perder as oportunidades. É o lembrete de que o amanhã não está garantido. O aviso para reduzirmos a velocidade e prestarmos atenção, sem o que não enxergamos nada. E o alarme que nos desperta, tirando-nos do piloto automático que nos impede de aproveitar a vida.

Pois, dessa forma, sem aproveitá-la, talvez nem sentido ela tenha.

Conclusão

A vida boa não é fácil. E vice-versa.

Todas as religiões, filosofias, ensinamentos ancestrais que nos indicam caminhos para uma vida satisfatória, com significado e sensação de crescimento e realização pessoal necessariamente requerem esforço. Não é fácil. Pode não ser um sacrifício, mas algum trabalho há de dar.

Procure em qualquer fonte do conhecimento compilado pela humanidade até hoje, seja em livros sagrados, obras de arte, fábulas, lendas, e você verá: o caminho fácil leva sempre à ruína. Larga é a porta que leva à perdição nos evangelhos; no budismo a preguiça é um dos grandes obstáculos para a transformação pessoal; o Mickey aprendiz de feiticeiro quase morre afogado ao tentar fugir do trabalho usando magia;

por escolher a vida fácil, a cigarra morre de fome no inverno.

A ciência atual só confirma a mesma coisa: aquilo que conseguimos sem esforço não traz satisfação nem promove crescimento. É o que todo marombeiro de academia sabe: se está muito fácil levantar aqueles pesos, não estamos progredindo.

Embora não seja fácil, alcançar uma boa vida não é um mistério. Nós falamos sobre encontrar o sentido da vida como se fosse algo oculto a ser desvendado, mas fato é que já sabemos bastante bem qual é esse sentido. Promover a paz; servir o próximo; desapegar-se do que é passageiro; evitar excessos; conectar-se; amar – você pode continuar a lista por conta própria. Não é segredo; só não é fácil.

O escritor C. S. Lewis, que encontramos no Capítulo 1, conta em sua autobiografia ter sido o convertido menos entusiasmado de todos os tempos. Para ele o cristianismo não foi uma revelação surpreendente, mostrando lições que ele jamais houvesse imaginado. Ao contrário, em sua opinião o cristianismo foi a materialização – e a mais bem acabada apresentação – do caminho apontado por todas as religiões e filosofias que buscam o bem. Concordo com ele.

Tanto que os quatro lemas do Arcadismo vistos ao longo do livro lembram versões de ensinamentos de muitas outras filosofias e religiões. E não é só isso: eles às vezes se parecem entre si, como se fossem versões uns dos outros dizendo a mesma coisa com outras palavras. Pudera, são sinalizações para um mesmo caminho.

Como é possível livrar-se dos excessos, atendo-nos ao essencial (*inutilia truncat*), sem abraçarmos a moderação, contentando-nos com um meio-termo satisfatório (*aurea mediocritas*)? Se quisermos sempre o máximo não haverá limites, e nos perderemos do que realmente importa. Mas, descoberto o que importa, como poderemos desacelerar e aproveitar (*carpe diem*) sem nos livrarmos dos excessos e das distrações? Aliás, para desacelerar é preciso sair da lógica frenética das cidades (*fugere urbem*) e encontrar um lugar tranquilo (*locus amoenus*), mesmo que não nos mudemos fisicamente de casa.

Talvez pudéssemos juntar todos os lemas numa única sentença. "Sabendo que a vida é finita, devemos dar atenção a cada momento e assim desfrutá-la, tranquilos e sem pressa, não distraídos pelos excessos – dos quais só nos livramos ao abraçarmos a moderação." Você pode tentar sua própria formulação, unindo os lemas e até acrescentando outros.

Veja: não é algo misterioso, oculto. Não é um segredo para poucos iniciados. Talvez pôr tudo isso em prática não seja tão comum porque é trabalhoso, afinal. Mas depois de refletir sobre todos os benefícios que seguir esses lemas pode nos trazer, estou mais do que convencido de que é um esforço que vale muito a pena.

Deixe a vida fácil para os preguiçosos. Eu quero é uma vida boa.

Agradecimentos

Não é fácil remar contra a maré. Levantar a voz contra o consenso, como resolvi fazer neste livro ao contestar a supremacia da vitória, é sempre temerário. Por isso tenho muito a agradecer à minha irmã Tatiane, meu cunhado Marcelo, minha esposa Danielle e meu grande amigo Douglas, com quem tive o privilégio de discutir esse tema no momento mesmo em que brotava em minha mente. Entre almoços e jantares numa viagem de fim de ano inesquecível, as conversas que tivemos sobre sucesso, fracasso, mediocridade, cobranças e resultados foram fundamentais para amadurecer a ideia e encontrar o tom correto para tratar do assunto. O suporte que recebi me ajudou não só desde a concepção inicial até a definição do título, mas também com a certeza de que mesmo se o mar se agitasse, eu não remaria sozinho. Valeu, gente!

E como sempre, à editora Sextante, especialmente à Nana Vaz de Castro, que não se cansa de acolher minhas ideias mais estranhas e ajudar a transformá-las em realidade, e à Taís Monteiro e à Rafaella Lemos, cujas revisões precisas me ajudam a escrever o que realmente quero dizer.

Notas

Capítulo 1 - *Inutilia truncat*

1 Lewis, C. S. *Cristianismo puro e simples*. Rio de Janeiro: Thomas Nelson Brasil, 2017, p. 183.

2 Gwynne, D. T. e Rentz, D. C. F. (1983), "Beetles on the Bottle: Male Buprestids Mistake Stubbies for Females (Coleoptera)". *Australian Journal of Entomology*, 22: 79-80, https://doi.org/10.1111/j.1440-6055.1983.tb01846.x.

3 Doyle, J. F. e Pazhoohi, F. (2012). "Natural and Augmented Breasts: Is What is *Not* Natural Most Attractive?". *Human Ethology Bulletin*, 27: 4-14.

4 Morten, L. Kringelbach e Kent C. Berridge (2012). "The Joyful Mind". *Scientific American*, 307(2): 40-45, https://pubmed.ncbi.nlm.nih.gov/22844850/.

5 Lewis, C. S. *Cartas de um diabo a seu aprendiz*. Rio de Janeiro: Thomas Nelson Brasil, 2017, p. 58.

6 Wallace, D. F. *O rei pálido*. São Paulo: Companhia das Letras, 2022, p. 362.

Capítulo 2 - *Aurea mediocritas*

7 Bulfinch, Thomas. *O livro de ouro da mitologia*. Rio de Janeiro: Ediouro, 1999, pp. 191-193.

8 Rebello, Lúcia Sá (1998). "Aurea Mediocritas e o Carpe diem: dois motivos na poesia de Horácio". *Translatio/ Núcleo de Estudos de Tradução Olga Fedossejeva*. IL/ UFRGS, 1: 57-62.

9 Ibidem.

10 Plutarco. *Vidas paralelas*. Tomo 3, p. 189, http://www.dominiopublico.gov.br/download/texto/bk000478.pdf.

11 Organização Pan-Americana da Saúde. "CID: burnout é um fenômeno ocupacional". https://www.paho.org/pt/noticias/28-5-2019-cid-burnout-e-um-fenomeno-ocupacional.

12 Kahneman, D. *Rápido e devagar*. Rio de Janeiro: Objetiva. 2011.

Capítulo 3 - *Fugere urbem*

13 Esopo. *Fábulas completas*. São Paulo: Cosac Naify, 2013, p. 472.

14 Ibidem.

15 Costa, Cláudio Manuel da. *Poemas*. http://www.dominiopublico.gov.br/pesquisa/DetalheObraForm.do?select_action=&co_obra=2362.

16 Gaete, Constanza Martínez (2015). "Mapa da urbanização no mundo entre 1950 e 2030" [Mapas: La urbanización en el mundo entre 1950 y 2030]. *ArchDaily*

Brasil. https://www.ufjf.br/pur/files/2011/04/14_-MAPA-DA-URBANIZAÇÃO-NO-MUNDO-ENTRE-1950-E-2030.pdf.

17 Andrade, Carlos Drummond de. *Contos de aprendiz*. São Paulo: Companhia das Letras, 2012, p. 22.

18 Thoreau, Henry David. *Walden*. 1984, edição Kindle.

19 Gong, X.; Fenech, B.; Blackmore, C.; Chen Y, Rodgers, G.; Gulliver, J.; Hansell, A.L. (2022). "Association between Noise Annoyance and Mental Health Outcomes: A Systematic Review and Meta-Analysis". *Int J Environ Res Public Health*, 19(5): 2696, https://pubmed.ncbi.nlm.nih.gov/35270388/.

20 Sudimac, S.; Sale, V.; Kühn, S. (2022) "How Nature Nurtures: Amygdala Activity Decreases as the Result of a One-Hour Walk in Nature". *Mol Psychiatry*, 27(11):4446-4452, https://www.nature.com/articles/s41380-022-01720-6/.

21 Turunen, A. W.; Halonen, J.; Korpela, K.; Ojala, A.; Pasanen, T.; Siponen, T.; Tiittanen, P.; Tyrväinen, L.; Yli-Tuomi, T.; Lanki, T. (2023) "Cross-Sectional Associations of Different Types of Nature Exposure with Psychotropic, Antihypertensive and Asthma Medication". *Occup Environ Med*, 80(2):111-118, https://pubmed.ncbi.nlm.nih.gov/36646464/.

22 Hansen, M. M.; Jones; R.; Tocchini, K. (2017) "Shinrin-Yoku (Forest Bathing) and Nature Therapy: A State-of-the-Art Review". *International Journal of Environmental*

Research and Public Health, 14(8):851, https://www.ncbi.nlm.nih.gov/pmc/articles/PMC5580555/.

23 Hunter, M. R.; Gillespie, B. W.; Chen, S. Y. (2019) "Urban Nature Experiences Reduce Stress in the Context of Daily Life Based on Salivary Biomarkers". *Front Psychol*, 10:722, https://www.ncbi.nlm.nih.gov/pmc/articles/PMC6458297/.

24 Stobbe, E.; Sundermann, J.; Ascone, L. et al. (2022) "Birdsongs Alleviate Anxiety and Paranoia in Healthy Participants". *Sci Rep*, 12, 16414, https://doi.org/10.1038/s41598-022-20841-0.

25 Ulrich, R. S. (1984) "View Through a Window May Influence Recovery from Surgery". *Science*, 224(4647):420-1, https://pubmed.ncbi.nlm.nih.gov/6143402/.

26 Kuo, F. E.; e Sullivan, W. C. (2001) "Environment and Crime in the Inner City: Does Vegetation Reduce Crime?". *Environment and Behavior*, 33(3), 343-367.

27 Gonzaga, Tomaz Antonio. *Marília de Dirceu*. 1ª ed., Rio de Janeiro: Ediouro, s/d.

Capítulo 4 - *Carpe diem*

28 Herrick, R. *The Hesperides & Noble Numbers*: Vol. 1 e 2. 28 de agosto de 2007 [eBook #22421], https://www.gutenberg.org/files/22421/22421-h/22421-h.htm/.

29 Parker, D. *Big Loira e outras histórias de Nova York*. Tradução Ruy Castro. 2ª ed. São Paulo: Companhia das Letras, 1995, p. 282.

30 Horácio. *Obras*. Tradução José Agostinho de Macedo. Lisboa: Impressão Régia, 1806.

31 Horácio. "Odes, I 4; I 11; III 30". Tradução Márcio Thamos. In *Letras Clássicas*, n. 10, 2006, p. 211.

32 Penna, Heloísa; Júlia Avellar (orgs.) *Odes e Canto Secular*. Belo Horizonte: FALE/UFMG, 2014, pp. 10-11.

33 Wessler, J.; Van der Schalk, J.; Hansen, J.; Klackl, J.; Jonas, E.; Fons, M.; Doosje, B.; e Fischer, A. (2022). "Existential Threat and Responses to Emotional Displays of Ingroup and Outgroup Members". *Group Processes & Intergroup Relations*, 0(0), https://doi.org/10.1177/13684302221128229.

34 Wiederman, M. W. "Thinking about Death Can Make Life Better – Contemplating Our Mortality Can Ease Our Angst and Make Our Lives More Meaningful". *Scientific American*. Abril, 2015.

35 Faria, Ernesto. *Dicionário Escolar Latino-Português*. Rio de Janeiro: Ministério da Educação e Cultura, 1962, p. 164.

36 Roesling, H. *Factfulness. O hábito libertador de só ter opiniões baseadas em fatos*. Rio de Janeiro: Record, 2019, p. 220.

37 "Amy KR presents... 'The Money Tree'", https://youtu.be/ZsN8FUV9nS4/.

38 Rosenthal, Amy Krouse. *Textbook Amy Krouse Rosenthal*. Nova York: Dutton, 2016, p. 170.

39 Hyman, I.E.; Sarb, B.A.; Wise-Swanson, B.M. (2014) "Failure to See Money on a Tree: Inattentional Blindness for Objects that Guided Behavior". *Front. Psychol.* 5:356, https://www.ncbi.nlm.nih.gov/pmc/articles/PMC4005951/.

40 Wiseman, R. *O fator sorte*. Rio de Janeiro: Record, 2003, pp. 76-77.

Leia um trecho de outro livro do autor: *O lado bom do lado ruim*

Introdução

Este é um livro sobre emoções, principalmente as negativas. Mas não espere encontrar aqui uma forma de domá-las, muito menos de se livrar dos sentimentos ruins. Ao contrário do que recomendam os manuais de roteiro, eu já vou entregar logo de cara o fim do livro – atenção, lá vai spoiler: ninguém consegue se colocar acima das emoções. Nem se livrar da tristeza, da raiva ou do que quer que seja. Mas, antes de desistir de continuar lendo, saiba de uma coisa: essa é uma excelente notícia.

Como veremos ao longo da leitura, as emoções não existem por acaso. Elas foram inscritas em nosso cérebro por motivos bastante importantes e até hoje cumprem várias funções das quais não podemos abrir mão. Portanto, livrar-se de qualquer uma delas, embora às vezes pareça desejável, certamente acabaria sendo prejudicial.

Não sendo possível (nem saudável) acabar de vez com as emoções negativas, é preciso aprender a identificá-las, encará-las e chamá-las pelo nome. Pode parecer algo simples, mas, de tanto tentarmos ignorá-las, muitas vezes temos dificuldade em dizer exatamente o que estamos sentindo. E as pessoas com mais dificuldade para distinguir as emoções negativas não apenas sofrem mais – elas também têm maior risco de desenvolver depressão, pois, se não compreendem a mensagem enviada pelas emoções, não conseguem saber exatamente como resolver a situação.

Seja racional

Nós vemos as emoções com grande desconfiança. Acreditamos que, como seres racionais, devemos deixá-las de lado em nossas decisões, sejam elas profissionais, familiares ou mesmo afetivas. Porém, é irônico sugerir, por exemplo, que alguém, refletindo sobre um relacionamento amoroso, pense racionalmente – trata-se de uma relação afetiva, antes de qualquer coisa. Mas é assim que funciona: nós não confiamos na emoção.

E temos nossos motivos para isso.

Para começo de conversa, desde a Antiguidade clássica nós sabemos que a razão por vezes é perturbada pelas emoções. Já na *Ilíada* (escrita no século VIII a.C.), a perda de controle é mencionada em vários momentos. Num deles, Agamenon diz que foi vítima da "venerada Atê que ofusca a todos, aquela maldita! Ela (...) não se arrasta pelo chão, mas sobe à cabeça dos homens para obscurecer-lhes a mente..." Para Homero, a "Atê" era um estado de espírito transitório, capaz de turvar a racionalidade inerente à natureza humana. Tão súbita e intensa era a experiência que os gregos a atribuíam à influência das divindades. Hoje não colocamos mais a culpa no além, mas todos nós já experimentamos aquela sensação de olhar para trás e, arrependidos, atribuir a culpa por alguma bobagem que fizemos a uma forte emoção momentânea.

O filósofo escocês David Hume, que viveu no século XVIII, dizia que, na verdade, somos escravos das emoções. A razão só viria a reboque, tentando justificar com argumentos plausíveis as decisões tomadas instintivamente nas direções ditadas pelos afetos. Séculos mais tarde, as neurociências dariam a ele sua parcela de razão. O psicólogo social americano Jonathan Haidt mostrou em seus estudos que muitas de nossas decisões sobre certo e errado não são nada racionais – a primeira sinalização que temos sobre algo ser condenável é uma sensação, uma emoção negativa que intuitivamente nos diz que aquilo é errado. E essa emoção imediata e automática traça o caminho a ser trilhado inexoravelmente pelo raciocínio. Aqui cabe um comentário que explica muitos conflitos domésticos e brigas entre amigos atualmente: quando tomamos consciência de nossas opiniões, é porque a razão já fez um grande esforço para justificar a intuição, tornando difícil mudar de opinião.

A influência das emoções sobre nosso raciocínio é tão complexa que nós não somos capazes sequer de saber, quando estamos calmos, como nos comportaremos ao ser tomados por uma emoção. Os cientistas chamam esse fenômeno de "*hot-cold empathy gap*", algo como "lacuna de empatia quente-fria". A empatia é a capacidade de nos colocarmos no lugar do outro, entendendo seu ponto de vista e seu estado afetivo. Se conseguimos compreender tais estados nos outros, deveria ser fácil compreendermos nossas próprias reações, certo? Não necessariamente: nossa compreensão muda bastante em virtude de estarmos sendo racionais ou emocionais. Quando estamos de cabeça fria, não mobilizados por emoções, temos uma visão bastante imprecisa sobre como reagiremos em momentos de grande comoção, dominados por sentimentos. Mas de cabeça quente temos dificuldade de mensurar até que ponto as emoções estão influenciando nosso comportamento.

Esse é um tema que vem sendo cada vez mais estudado na área de tomada de decisão – suas consequências interessam a muita gente, de profissionais de marketing ávidos por compreender (e moldar) as decisões de compra dos consumidores até militares que precisam treinar soldados a decidir sob pressão. Existem várias experiências que demonstram cabalmente que não somos capazes de saber como vamos agir quando estamos emocionados, mas poucas são tão definitivas e divertidas quanto a que foi conduzida pelos economistas comportamentais Dan Ariely e George Loewenstein e publicada em 2006 com o significativo título "The Heat of the Moment: The Effect of Sexual Arousal on Sexual Decision Making" (O calor do momento: o efeito da excitação sexual na tomada de decisão sexual).

Ariely e Loewenstein fizeram uma série de perguntas a estudantes universitários do sexo masculino, investigando em que medida eles achavam interessantes determinadas práticas sexuais, até que ponto teriam atitudes moralmente questionáveis para conseguir fazer sexo e qual a chance de usarem preservativo em algumas situações. Uma vez respondidas as questões, os voluntários recebiam um computador que apresentava vídeos eróticos e então repetia as perguntas. Os rapazes deviam se excitar até chegar o mais perto possível do orgasmo e, no calor do momento, responder novamente às perguntas dentro de uma escala de 0 a 100, sendo 0 igual a "absolutamente não" e 100 "com certeza sim".

Os resultados foram impressionantes. A simples questão "Sapatos femininos são eróticos?" teve nota média 42 no estado "frio" e passou para 65 no estado "quente". "Você seria capaz de ter prazer no sexo com alguém que odeia?" subiu de 53 para 77. A pergunta "Você levaria uma pessoa a um restaurante chique para aumentar suas chances de fazer sexo com ela?" teve média de 55 pontos na fase inicial, saltando para 70 quando os participantes da pesquisa estavam excitados. Pior: "Você diria a uma mulher que a ama para aumentar as chances de fazer sexo com ela?" foi de 30 para 51 pontos. E "Num encontro você encorajaria alguém a beber para aumentar as chances de acabar em sexo?" subiu de preocupantes 46 para assustadores 61. Por outro lado, o efeito da excitação sobre as perguntas que diziam respeito à probabilidade de usar preservativo era o oposto – as pontuações despencavam. "Você usaria sempre preservativo se não soubesse o histórico sexual de uma nova parceira?" desceu de 88 para 69 pontos. E para coroar: "Você usaria preservativo mesmo receando que a mulher pudesse desistir de transar enquanto você fosse pegá-lo?" fez a pontuação descer de 86 para 60. Quer dizer, com a cabeça no lugar, todo mundo acha que será capaz de fazer o certo, mas, quando a hora H chega, parece que outra pessoa assume o comando.

Não seja tão racional

Por outro lado, sem emoção as interações sociais perdem muito em qualidade. Personagens extremamente racionais que o público tanto ama expõem com maestria essa contradição: Sherlock Holmes, o capitão Spock de *Jornada nas estrelas* e, mais recentemente, o físico Sheldon Cooper, queridinho dos fãs da série *The Big Bang Theory*. Todos eles encarnam, cada um a seu modo, o ideal do ser humano puramente racional, que não se deixa levar pelas emoções, agindo a cada momento de acordo com o que é mais lógico, dedutível e cientificamente embasado. No entanto, eles conquistam os fãs muito mais pelo embaraço que lhes causa viver uma vida sem emoções do que pela frieza – em vários momentos de interação social eles acabam se dando mal. Esses personagens nos cativam não só porque invejamos sua racionalidade, mas também porque suas dificuldades sociais nos mostram como seria complicado agir apenas racionalmente num mundo que nem sempre segue a pura lógica.

Esse foi o drama de Eliot, pseudônimo de um dos pacientes mais famosos da neurociência moderna. Antes da revolução tecnológica que nos deu conhecimento inédito sobre o funcionamento do cérebro por meio de tomografias e ressonâncias, muito do que sabíamos sobre esse órgão vinha do estudo de pacientes cujas lesões – e déficits resultantes – revelavam a função das regiões cerebrais.

Com Eliot foi diferente. No seu caso a lesão já era conhecida; o difícil era compreender seus efeitos. Ele tivera um tumor no lobo frontal do cérebro, cuja maior parte acabou sendo retirada para salvar sua vida. Mesmo sabendo disso, os médicos e psicólogos não compreendiam exatamente o que aconteceu com ele depois. A inteligência dele permaneceu intacta; a memória, preservada; a capacidade de raciocínio lógico, perfeita. Ainda assim, sua vida ia de mal a pior nos relacionamentos, no trabalho, em toda parte.

Até que o neurocientista António Damásio, examinando-o mais a fundo, descobriu que Eliot se tornara incapaz de sentir emoções. Ele não se emocionava diante de imagens tristes e chocantes mesmo que racionalmente soubesse o que deveria sentir. Era capaz de resolver charadas, solucionar dilemas; porém não conseguia tomar decisões relacionadas à própria vida. Listava prós e contras, avaliava as variáveis, mas não era capaz de se decidir. Damásio criou, assim, a hipótese do marcador somático: nosso corpo (soma) o tempo todo envia, no nível emocional, não cognitivo, sinais que são essenciais para marcar quais cursos de ação são certos ou errados. Somente pela lógica seríamos incapazes até de decidir entre Coca-Cola ou Pepsi, sopa ou salada.

Emoções positivas e negativas

Mesmo depois de entender tudo isso, nós ainda ficamos desconfiados. Ok, as emoções positivas nós conseguimos aceitar. Tudo bem ficar alegre. Nada contra ter serenidade, sentir-se confiante ou experimentar qualquer das emoções celebradas nos livros que recheiam as prateleiras da seção de autoajuda.

Mas o que tem de bom em ficar triste? Qual a vantagem de sentir raiva? Existe algum lado bom no medo, no nojo? Acreditamos que para ter sucesso precisamos conseguir nos livrar dessas emoções.

Aí é que nos enganamos.

Ao longo deste livro veremos que todas as emoções existem por uma razão e que, sejam agradáveis ou não, seus sinais são importantes para o autoconhecimento e para nos ajudar a navegar no mar das relações interpessoais. Sim, das nossas relações. Porque uma das funções mais importantes da expressão das emoções é fazer com que a gente consiga se comunicar com os outros, transmitir informações. E, como as notícias que precisamos dar nem sempre são boas, não ter emoções negativas seria como perder parte do nosso vocabulário.

O círculo das emoções

Quando eu estava na quarta série primária – hoje o quinto ano do ensino fundamental –, a professora Rose, de educação artística, nos apresentou o círculo cromático. Nós criamos então nosso próprio círculo, pintando com os preciosos lápis do estojo o espaço destinado a cada cor. Do alto de nossos 10 anos, a lógica daquele instrumento se revelava aos poucos, para nosso fascínio. Talvez aquilo fosse uma tortura para alguns, mas, para os nerds como eu, era divertidíssimo reconhecer os padrões que surgiam.

De um lado, cores frias: azul, anil, lilás, roxo... Opa! A cor roxa já não seria morna? Do lado dela já aparecia o rosa, claramente membro do clube das cores quentes, embora não tanto quanto o vermelho, a cor mais quente de todas, e o laranja. O vizinho do laranja, o amarelo, já começava a esfriar, e o verde também parecia meio morno, reiniciando o ciclo.

Doze cores compõem o círculo cromático mais comum. As três primárias (azul, vermelho e amarelo), as secundárias (verde, roxo e laranja), produzidas pelas combinações das três anteriores, e seis terciárias, que são tons intermediários entre as primárias e as secundárias.

As cores vizinhas são chamadas de cores análogas. Bem parecidas entre si, formam um conjunto harmonioso, pois só se diferenciam por pequenas nuances. Um tom a mais de uma cor primária dita para que lado ela deve se mover – o verde, por exemplo, se torna verde-amarelado se for para um lado, ou verde-azulado se for para o outro. Em lados opostos estão as cores complementares. Embora sejam extremamente diferentes, essa diferença não significa incompatibilidade. Uma valoriza a outra quando aparecem juntas – o vermelho e o verde das bandeiras portuguesa ou italiana, por exemplo, se destacam mutuamente. Bem utilizadas, elas também expressam harmonia ao se combinarem.

Ciranda emocional

Organizadas dessa forma, é possível fazer uma analogia perfeita entre as cores e as nossas emoções. Afinal de contas, também existe uma gama de emoções diferentes, semelhantes ou opostas, que eventualmente interferem umas nas outras e quase sempre se misturam, dando origem a sensações diversas. Podemos levar a analogia além, já que as emoções também podem ser classificadas como primárias, ou básicas, e dão origem às secundárias e às terciárias. E, de forma muito interessante, elas também podem ser organizadas em um círculo – as emoções negativas, de um lado, vão se diferenciando aos poucos umas das outras, passando pelas emoções ambíguas e chegando às emoções positivas, do outro lado, reiniciando o círculo.

Assim como no caso das cores, o círculo das emoções é interessante não só pelo que revela, mas também pelo que não está aparente. Entre as cores primárias vermelho e azul, é fácil identificar o roxo – cor secundária obtida pela mistura de ambas na mesma proporção. Se carregarmos um pouco mais no vermelho, teremos o roxo-avermelhado de um lado; se pusermos um pouco mais de azul, teremos o anil de outro. Mas, se quisermos, podemos muito bem encontrar outro tom entre o anil e o azul, bastando para isso mudar ligeiramente as proporções. Que nome daríamos para essa nova cor? Que nem nova deve ser – provavelmente já existe há muito tempo na natureza, em alguma flor ou na plumagem de alguma ave. Basta prestarmos atenção.

Da mesma forma, entre o medo e a tristeza podemos encontrar o desamparo, que carrega um pouco – ou muito – de ambas as emoções. Mas às vezes ele tem menos de medo e mais de tristeza – por exemplo, quando achamos que o resultado negativo é inevitável, tendemos mais a nos lamentar do que a temer. Que nome daríamos a esse sentimento? Desesperança, talvez? E nessa mesma sensação pode surgir uma pitada de raiva – se acharmos que alguém tem culpa pela situação. Variando assim os ingredientes básicos e suas proporções, podemos identificar mais emoções do que pensamos. Se pararmos para prestar atenção em nós mesmos – como podemos prestar nas cores do mundo –, provavelmente encontraremos diversas emoções. Algumas que nunca tínhamos notado. Outras que talvez ainda nem tenham sido batizadas.

Círculo das emoções

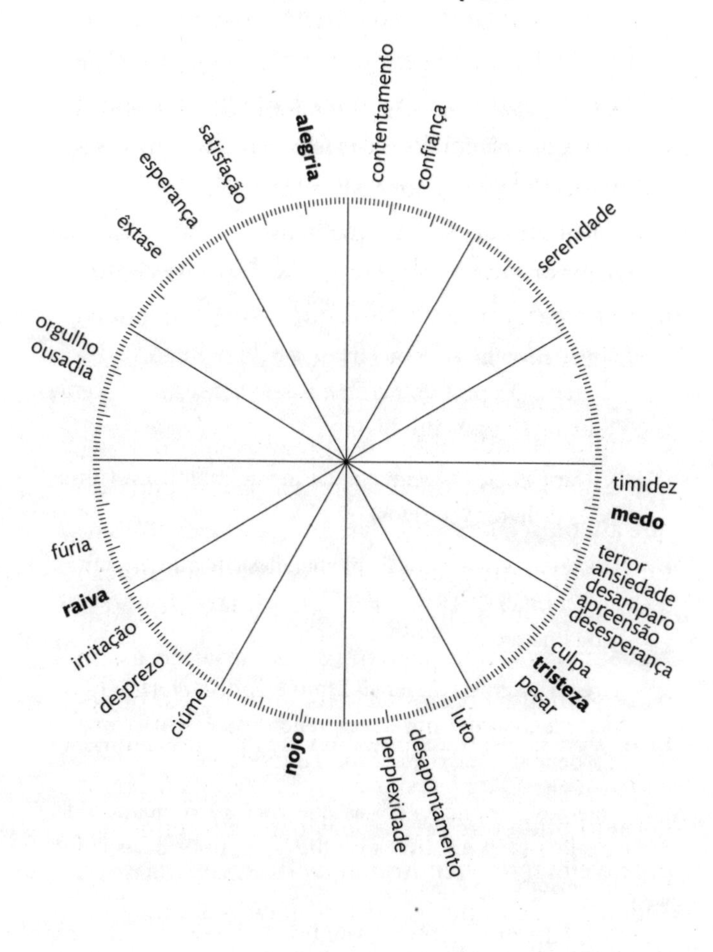

CONHEÇA ALGUNS DESTAQUES DE NOSSO CATÁLOGO

- Augusto Cury: Você é insubstituível (2,8 milhões de livros vendidos), Nunca desista de seus sonhos (2,7 milhões de livros vendidos) e O médico da emoção
- Dale Carnegie: Como fazer amigos e influenciar pessoas (16 milhões de livros vendidos) e Como evitar preocupações e começar a viver
- Brené Brown: A coragem de ser imperfeito – Como aceitar a própria vulnerabilidade e vencer a vergonha (600 mil livros vendidos)
- T. Harv Eker: Os segredos da mente milionária (2 milhões de livros vendidos)
- Gustavo Cerbasi: Casais inteligentes enriquecem juntos (1,2 milhão de livros vendidos) e Como organizar sua vida financeira
- Greg McKeown: Essencialismo – A disciplinada busca por menos (400 mil livros vendidos) e Sem esforço – Torne mais fácil o que é mais importante
- Haemin Sunim: As coisas que você só vê quando desacelera (450 mil livros vendidos) e Amor pelas coisas imperfeitas
- Ana Claudia Quintana Arantes: A morte é um dia que vale a pena viver (400 mil livros vendidos) e Pra vida toda valer a pena viver

- Ichiro Kishimi e Fumitake Koga: A coragem de não agradar – Como se libertar da opinião dos outros (200 mil livros vendidos)
- Simon Sinek: Comece pelo porquê (200 mil livros vendidos) e O jogo infinito
- Robert B. Cialdini: As armas da persuasão (350 mil livros vendidos)
- Eckhart Tolle: O poder do agora (1,2 milhão de livros vendidos)
- Edith Eva Eger: A bailarina de Auschwitz (600 mil livros vendidos)
- Cristina Núñez Pereira e Rafael R. Valcárcel: Emocionário – Um guia lúdico para lidar com as emoções (800 mil livros vendidos)
- Nizan Guanaes e Arthur Guerra: Você aguenta ser feliz? – Como cuidar da saúde mental e física para ter qualidade de vida
- Suhas Kshirsagar: Mude seus horários, mude sua vida – Como usar o relógio biológico para perder peso, reduzir o estresse e ter mais saúde e energia

CONHEÇA OS LIVROS DE DANIEL MARTINS DE BARROS

Pílulas de bem-estar

O lado bom do lado ruim

Rir é preciso

Viver é melhor sem ter que ser o melhor